La vie habitable

Atelier 10

5101, rue Saint-Denis, CP 60135
Montréal (Québec) H2J 4E1

info@atelier10.ca
www.atelier10.ca
514 270-2010

Véronique Côté

La vie habitable

———

Poésie en tant que combustible
et désobéissances nécessaires

Documents

La collection *Documents* est dirigée par Nicolas Langelier.

Nous utilisons l'orthographe modernisée.

Édition Nicolas Langelier
Aide à l'édition Judith Oliver et Caroline R. Paquette
Révision Liette Lemay
Design de la couverture et conception typographique Jean-François Proulx
Montage Eveline Lupien
Illustrations Carol-Anne Pedneault

Diffusion/distribution au Canada Flammarion / Socadis

ISBN version imprimée : 978-2-924429-12-9
ISBN version numérique (ePub) : 978-2-924429-11-2
ISBN version numérique (PDF) : 978-2-924429-13-6

Dépôt légal — Bibliothèque et Archives nationales du Québec, 2014
Dépôt légal — Bibliothèque et Archives Canada, 2014

Catalogage avant publication de Bibliothèque et Archives nationales du Québec et Bibliothèque et Archives Canada

Côté, Véronique, 1980–

La vie habitable : poésie en tant que combustible et désobéissances nécessaires

(Documents)
Comprend des références bibliographiques.

ISBN 978-2-924429-12-9

I. Atelier 10 (Organisme). II. Titre. III. Collection : Documents (Atelier 10 (Organisme)).

PS8605.O883V53 2014   C848'.6   C2014-942224-5
PS9605.O883V53 2014

Table des matières

À ton vélo
À ta main sur la chute de mes reins,
comme un léger vent de dos

Fragiles inventaires

J'AI BESOIN DE POÉSIE.

C'est arrivé très tôt—je ne peux pas dire quand, c'est trop loin. L'enfance a commencé après.

Compter les lucioles, espérer une étoile filante, attraper des papillons sans toucher la poudre colorée couvrant leurs ailes, cueillir les framboises dans la cour et imaginer la vie en autarcie, boire du thé très léger dans les belles tasses anglaises de ma grand-mère : chaque jour de mon enfance m'apportait son lot d'espérances fugaces, de joies friables, de projets incertains mais magnifiques.

Longtemps, j'ai eu l'impression que tout le monde était comme moi. J'en avais toutes sortes de preuves. Après tout, ma mère—cette *adulte* s'il en était une, douce, avertie et responsable—faisait elle-même des choses comme ça : manger en cachette une très jeune feuille d'orme pour fêter l'arrivée du printemps, laisser les libellules se poser dans ses cheveux, aller parler avec le lac à chaque départ du chalet. Même chose pour mon père, rationnel, scientifique, fort, indiscutablement intelligent : n'était-ce pas lui qui voulait que j'apprivoise une corneille pour «avoir l'air d'une sorcière»? N'était-ce pas lui qui m'apprenait à faire cuire la banique sur le feu de camp, comme les scouts, et qui cachait des sachets du mélange de farine, de sel et de poudre à pâte dans mes bagages de camp de vacances pour que je puisse régaler mes camarades une fois loin dans le bois? N'était-ce pas lui qui recueillait les animaux blessés dans des boites en carton, dans la cour de la maison familiale où il accueillait même les goélands, pour les remettre sur pied?

Mes parents, qui se sont rencontrés il y a maintenant 41 ans en étudiant la biologie à l'Université de Sherbrooke, ma mère, agente d'immeubles, mon père, urgentologue, ne sont pas précisément des marginaux. Ils sont ceux dont le gouvernement croit parler quand il se réclame de la majorité silencieuse. Ils sont ceux qui, comme tous les parents se doivent de le faire pour leurs enfants, m'ont appris à obéir—mais, par une sorte d'instinct de préservation lumineux, ils sont aussi ceux qui m'ont appris à ne pas obéir *à tout prix*. Plus je vieillis, plus je mesure l'étendue du champ des possibles qu'ils ont dessiné devant moi: la liberté dont ils m'ont fait cadeau me semble parfois outrageuse dans le monde dans lequel elle se déploie.

Je croyais que mon besoin de poésie était une chose intime, personnelle, mais commune, dans le sens de *partagée*, de *normale*, de *régulière*. Je croyais que ce besoin brulait au cœur de chacun d'entre nous—qu'il faisait partie du *kit de base* des besoins, en quelque sorte. Avoir besoin d'un toit, de chaleur, de nourriture, d'amour, d'éducation, et de poésie. Je l'ai cru longtemps. Puis, devant toutes sortes de fêlures, petites et grandes, je me suis surprise à peut-être cesser d'y croire—ils ne devaient pas ressentir ma soif de poésie, ces conducteurs qui s'amusaient à faire peur aux cyclistes sur la route, à l'invitation d'animateurs de radio encourageant publiquement ces âneries; ils ne devaient pas avoir besoin des mêmes lumières que moi, ces dirigeants de pétrolières s'apprêtant à saccager la plus belle ile du Québec, et s'en félicitant à belles dents dans ma télévision; ils devaient avoir oublié leur désir et leur foi des débuts dans le service public, ces politiciens qui avaient ouvert toutes grandes les portes de cette scandaleuse dépossession collective.

C'est là que se loge l'erreur, la mienne, et celle de plein de monde. Celle de se croire tout seul de sa *gang*. Celle de perdre confiance. Celle de renoncer à voir ce qui brille au fond des gens, même ceux avec qui on ne partage apparemment aucune valeur; celle de cesser de s'adresser, chez nos contemporains, à cette part qui tremble, qui cherche la beauté, qui aime; celle de nier que le besoin de poésie existe au cœur de chacun.

Les traces enfouies de notre grand besoin de poésie: c'est pour en dresser le fragile inventaire que j'ai écrit ce petit ouvrage. Pour me rassurer un peu, j'ai invité quelques esprits dont j'estime particulièrement le regard à venir faire ce recensement de lucioles avec moi. On en a trouvé tout plein, mais il parait que c'est impossible de les compter toutes. Il y en a trop.

Définitions impossibles

Je te fais part de l'infini
maladie des vigies
Fabrice Melquiot

1. Poésie

La poésie est un commencement. L'image poétique n'est précédée de rien, elle ne peut pas être préparée, elle n'est le fruit ni d'un passé, ni d'une logique, ni d'une cause. Elle éclate et se crée du même coup, et en se créant, elle réveille le pouvoir poétique enfoui, la capacité créatrice innée de celui qui regarde. Devant l'image poétique, quelque chose en nous se réanime, se souvient qu'il désire, qu'il est avide d'invention, de rêve, de courage. De poésie. L'étymologie même du mot appelle directement au geste, à l'action, au transport : du grec ancien ποίησις, *poíêsis* («faire, créer»).

Je parle de poésie : je ne parle pas de poème.

Je parle de la poésie en marche. Poésie debout, mouvante, émouvante, bougeant en nous et nous invitant de ce fait à nous mettre en mouvement.

Je parle de poésie, j'écris le mot et, l'écrivant, je sais tout ce qui résiste dans l'esprit de la foule, tout ce qui se braque dans l'oreille publique. Tout ce qui s'est mis à croire, parce qu'on s'est acharné à le lui faire croire, que ce mot parle de douceur inutile et de bonté impossible, de beautés incompréhensibles et ruineuses, d'aspirations prétentieuses, de charabia, de *littérature* (comme quand on dit *littérature* avec des italiques dans la voix, comme quand on dénature ce mot pour le dresser en antonyme des *vraies affaires),* de gaspillage, d'enfantillages, de caprices, de rimes quétaines : bref, de luxe. D'un luxe d'autant plus scandaleux qu'on nous martèle que nous n'en avons ni le besoin, ni, au fond, vraiment l'envie, et qu'il est plus que jamais, ère austère oblige, un luxe ridicule et abusivement hors de prix.

La poésie est un genre littéraire, c'est vrai : elle appartient au langage et le met au monde tout à la fois. Elle lui appartient toujours, mais le langage, cette machinerie en marche, évolue au rythme de nos avancements et de nos détours. À notre époque où tout est langage (image et musique, projection et lumière, mouvement, corps dans l'espace, espace, foule, médium, médias, forme, vitesse, équations, architecture), la poésie de même est une construction qui peut se manifester par les mots, mais qui est évoquée ici dans sa polyphonie absolue, dans la multiplicité de ses manifestations, dans la nouveauté toujours renouvelée de ses incarnations.

La poésie nait spontanément du choc d'images, de la mêlée de sens, de l'accident. Elle jaillit de l'imprévisible, et par son surgissement elle nous lave le regard, la tête, le cœur. La poésie est, par définition, neuve : éternellement nouveau-née. C'est l'actualité brulante de cette naissance qui engendre la soif de (re)commencement en nous. Alors que tout nous parle de notre fin, nous rêvons sans l'admettre de début du monde. Nous rêvons de créer ce qui pourrait être un monde. Alors que tout concourt à nous faire croire que le bonheur se trouve dans une tranquillité forcenée, forme d'immobilité de tout notre être, pensée et imaginaire rompus à un confort où la vulnérabilité se dilue (c'est là le but ultime de l'exercice : ne plus rien sentir, ni peur, ni manque, ni chagrin — mais ni joie ni courage non plus), l'image soudaine, la percée, la réinvention de notre être par la poésie vient ébranler cette certitude : et si ce dont nous avions vraiment besoin, c'est d'un souffle inconnu, d'une flambée, d'un *mouvement* ?

L'imagination crée. C'est sa nature. Elle génère des images et, quand ces images émergent avec fulgurance et sont exprimées comme telles, elles prennent racine immédiatement en nous : celui qui regarde reconnait quelque chose qui existait déjà quelque part en lui, quelque chose qu'il aurait pu inventer lui-même.

Il y a cette part éternellement neuve de la poésie. Et il y a, au même moment, cette envie de reconnaitre dans un objet une part déjà comprise du monde, intégrée, à laquelle d'autres se sont frottés, patinant l'objet de son poids de sens, de passé, de sentiments partagés. Comme si la nouveauté technique ne permettait pas la nouveauté imaginée propre à la poésie — comme si, aussi, le caractère strictement utilitaire d'une invention évacuait complètement la notion de beauté au sens premier du terme, c'est-à-dire sauvage et inutile : beauté gratuite, échappant à la logique marchande. S'il y a de la poésie dans nos téléphones intelligents, dans nos courriels où nos textos, elle nous est encore invisible, imperceptible. Pour l'heure, ce n'est guère là qu'elle semble nicher...

Puis, un jour, quand le temps passe sur ces objets et ces lieux aux vocations initialement étroites, et qu'une ou plusieurs œuvres réussissent à en capter la beauté improductive, la poésie se mêle au réel. Choses utiles devenues chargées de rêve : une lettre par la poste — le geste d'écrire. Un message sur un répondeur. La voix sur une cassette, ou son silence (le fantôme bouleversant de Dédé Fortin). Un train, une gare. Un avion dans le ciel. Un ascenseur. Le métro. La banlieue, depuis qu'une génération y a grandi, s'y est ennuyée, y a découvert les premiers émois du corps adolescent, de l'aube du cœur — et que, devenue adulte, elle y traque désormais une forme de beauté particulièrement aigüe. Ces périphéries ne portaient en elles aucune grâce, avant de devenir les paradis perdus de chanteurs de groupes rock ou de cinéastes, de plus en plus nombreux à nous montrer la douceur d'un monde qui, sans le souvenir, sans le temps d'avant qu'ils y projettent, n'aurait rien de doux.

Je dis que nous avons besoin de nous reconnaitre les uns les autres.

Je dis que nous avons besoin de partager la beauté cachée des lieux et des objets.

Je dis que nous avons besoin de poésie depuis l'enfance, depuis bien avant les idées, bien avant le langage même, depuis le début de la conscience de l'autre, parce que la poésie est une façon de comprendre l'autre en devenant soi-même, le temps d'une image, celui qui imagine. L'origine.

Poésie : construction de l'imagination parlant à l'imagination d'autrui.

Poésie : surgissement irrépressible de la beauté.

Poésie : réponse sauvage à des questions qui ne se posent pas. *Comment faire pour vivre ? Comment faire pour vivre ensemble ?*

Je dis que tout le monde n'a pas besoin des mêmes voyages, mais que tout le monde a besoin de voyager.

Je dis que nous avons besoin de poésie comme nous avons besoin de beauté, de lumière et de nos voisins.

Je dis que tout nous raconte le contraire parce que dans cette idée se cache une forme agissante de subversion : et si nous étions plus libres qu'on veut bien nous le faire croire ? En rendant la vie imprévisible, la poésie nous apprend la liberté.

Un énorme bouquet de lilas sur un trottoir, une pancarte posée contre le joli vase qui le contient : « PRENEZ LES FLEURS, LAISSEZ LE POT ! »

Une phrase peinte en rouge dans une foule de manifestants : « AUJOURD'HUI POUR MOI, DEMAIN POUR TOI. »

Une très longue table dressée dans une ruelle de Montréal sous des guirlandes de lumière.

Des voisins qui cassent de l'asphalte ensemble pour planter des fleurs devant les trottoirs du quartier.

Un livre oublié exprès sur un banc public avec un mot pour le lecteur qui le trouvera : « Je t'attendais. »

Des calligraphes qui font parler les objets jetés au chemin. *Trop tard pour migrer,* dit la valise dans le banc de neige. *Regardez le ciel,* dit la télévision couchée sur le dos. *Je suis cuit,* dit le four cabossé.

Une fanfare à la sortie d'un enterrement, pour conjurer le sort.

Des étudiants qui dansent dans la rue à la sortie d'un théâtre.

Des pianos en libre-service déposés dans la ville.

Un air d'opéra échappé par la fenêtre.

Un magnolia en fleur.

Le printemps enfin.

Un jardin. Chaque jardin.

Hors des systèmes, à côté des ornières dans lesquelles nous marchons sans plus jamais nous demander pourquoi nous empruntons tous les jours ces trajets creusés par l'habitude, par l'inquiétude et par l'ennui ; sans plus jamais nous demander pour qui, pour quoi nous restreignons nos possibles à ce point — hors des balises de sécurité se trouve une forme de magie immémoriale qui parfois nous est donnée, le plus souvent sans avertissement. Il faut bien regarder, puisque nous sommes conditionnés à ne plus la voir. Comme dans l'enfance, comme dans l'amour fou, il faut guetter les signes. Dès qu'on les cherche, ils brillent plus que le reste, constellation soudain reconnaissable depuis qu'on en apprit le nom : poésie.

2. Beauté(s)

Le mot *beauté* est devenu fragile.

Il parle à la fois d'aspirations quasi métaphysiques, et de consommation implacable.

Il parle à la fois des dictats encarcannant le corps des femmes (de plus en plus celui des hommes également), et de l'émancipation de ces dernières par rapport à ces dictats (auquel cas on lui accole le plus souvent un adjectif éclairant inconfortablement l'ensemble, en disant quelque chose comme *vraie beauté*). Il parle à la fois de soifs sauvages et de publicités abrutissantes.

Il parle du même souffle d'aliénation et d'affranchissement. Il parle le plus souvent de matière, alors que c'est à l'âme qu'il s'adresse, originellement, au souffle, pour le réanimer.

C'est un mot qui tremble. C'est un mot qui vacille dans nos esprits : nous pressentons qu'il nous appelle, mais presque chacune de ses incarnations nous oppresse ou est vidée de son sens.

En art, l'idée de la beauté est irrémédiablement devenue louche. Impossible d'énoncer dans une note d'intention que par l'œuvre à venir, on cherchera à convoquer la beauté. Impossible par exemple d'écrire, même s'il s'agit de l'exacte vérité : *La beauté alors m'a semblé être le seul remède possible.* On sera mal interprété.

Nous sortons d'un siècle d'horreurs inouïes. Une idée répandue veut qu'à la suite de quelques-uns des plus terrifants crimes contre l'humanité, il soit devenu impossible de raconter et de créer du beau : les génocides et les camps de concentration auraient signé la fin de l'histoire (au sens narratif du terme), et Hiroshima, la fin de la beauté. Si je peux comprendre la réflexion et surtout les questions insondables qui mènent à de tels arrêts de mort (comment raconter après que l'inracontable fut advenu ? Comment créer quelque chose de beau après que la beauté fut assassinée ?), je ne suis pas d'accord avec l'universalité du verdict, l'implacabilité du constat : face à l'atrocité et pour la suite du monde, il n'y a pas de réponse unique. On peut se taire et que ce silence soit plein de sens. On peut choisir d'exploser en fragments acérés, en violence noire, en catharsis dense ou en froideur opaque. On peut aussi essayer de faire quelque chose de *beau*, oui, pour réparer à sa façon ce qui a été piétiné. On pourrait imaginer ne plus jamais rien laisser pousser sur le lieu d'un charnier. Mais on pourrait aussi y planter un verger, pour que la mémoire des victimes soit désormais baignée de fleurs et de fruits. Ce ne serait pas un sacrilège que d'offrir une paix botanique au repos intranquille des morts. Tout est dans la manière, et dans le sens qu'on donne à nos actes.

Le mot *beauté* est devenu incertain et bancal, comme mille autres mots qu'on vide jour après jour de leur essence, qu'on sacrifie sur les autels clinquants de la publicité, de la mode, de la chronique et des médias de masse, les laissant méconnaissables et affaiblis, défigurés. Pour ceux qui seraient tentés d'en retrouver la signification originelle et d'en convoquer la puissance intrinsèque, il faut d'abord rétablir un peu l'harmonie perdue, soigner les mots blessés et en retrouver les définitions, même quand ces dernières glissent des doigts, comme profanées par l'étendue du malentendu.

Je dirai *beauté* et je prendrai le risque d'être mal comprise, mais voici pêlemêle ce que je tente de mettre dans ce mot, du moins le temps de cet ouvrage.

Il y a une beauté de la nature, du territoire, qui provoque en nous quelque chose qui nous élève, ou mieux, nous *agrandit*. Fleuve et battures, estuaire et iles, oies, bernaches, huards, lupins, églantines dans l'odeur des algues, épinettes, lacs, et plus haut, infiniment loin, et pourtant là, existant là, éternelle, intouchable dans le Nord éblouissant : toundra. La trame de nos saisons qui nous fait et nous défait. La neige qui nous tombe dans le cœur de décembre à mars. Janvier tout-puissant, novembre infini et juillet inespéré.

Il m'est arrivé devant certains paysages d'avoir soudain la sensation très nette de voir à l'extérieur de moi une immensité dont je pressentais qu'elle était aussi, mystérieusement, contenue par moi. Mais même quand on ne les a jamais vues, la beauté des terres qu'on habite nous constitue, j'en ai l'intime conviction. La beauté est sauvage.

Il y a une beauté du geste. Il y a une beauté de l'humain. Il y a des horreurs, des erreurs. Il y a de la colère, de l'insécurité, de la cupidité et des inégalités révoltantes. Il y a un individualisme frénétique qui sévit partout dans nos sociétés de confort. Malgré tout, persistant comme une petite musique obstinée qui refuse de nous sortir de la tête, il y a de la beauté, oui, chez les humains. Les gestes sont petits, parfois invisibles. Les gestes sont infimes. Mais parfois ils sauvent la vie, ou la journée. C'est devant cette beauté que nous sommes le plus désarmés : elle nous semble tellement inhabituelle que nous ne savons pas comment la recevoir.

Je pourrais écrire un autre mot pour nommer ce visage-là de la beauté, un mot usé, passé de mode, un mot qui à lui seul me serre le cœur : je pourrais dire *bonté*. La beauté est offerte.

Il y a aussi dans la beauté que j'invoque un caractère foncièrement non utilitaire, hors de l'économie, de l'austère «gouvernance» perpétrée par nos élus, du pratique, du fonctionnel, du bon rapport qualité-prix. Hors du système : «La technique appelle l'utilité, et l'utilité la laideur [...]. La beauté ne fait pas partie du plan capitaliste. À l'inutile et à la beauté, il n'est pas nécessaire de donner d'explication, c'est pourquoi la technique et la loi rationnelle les ignorent[1].»

Car combien vaut un vol d'outardes ? La beauté est gratuite.

Au bout de cette tentative de définition se tient le mot que j'appelle. Une beauté faite de toutes ces beautés. Sauvage et offerte, inutile et gratuite : incontrôlable. Beauté folle, beauté furieuse.

---

[1] Gilles Dostaler et Bernard Maris, *Capitalisme et pulsion de mort*, Fayard, 2010.

Parce que cette beauté échappe aux marchés, au crédit, à la consommation dont on voudrait nous faire croire qu'elle constitue le but ultime de nos existences, parce qu'elle nous emmène loin de l'accumulation des richesses, tout en nous enrichissant autrement, elle est subversive, comme la poésie. En nous arrachant (même momentanément) à la logique marchande qui commande pratiquement toutes nos activités, la beauté nous apprend l'insoumission.

Compter les lucioles

Questions à Cécile El Mehdi, psychologue clinicienne

Si vous aviez à proposer une définition de la poésie en lien avec votre pratique, quelle serait-elle?

La psychanalyse oriente depuis toujours ma pratique. Cela signifie que la dimension de l'inconscient est au cœur de mon travail avec chaque personne que je rencontre. Il me semble que l'énonciation poétique est celle qui s'en rapproche le plus; Sigmund Freud disait des poètes qu'ils ont «le courage de laisser parler leur propre inconscient[1]».

Les mots n'ont pas une signification unique. C'est pourquoi Jacques Lacan a préféré parler de «signifiants» plutôt que de mots, faisant ainsi valoir l'équivocité de ces derniers.

Alors, pendant une rencontre avec un sujet, il s'agit de rentrer dans le jeu très sérieux des signifiants pour opérer un déchiffrage de l'inconscient. Tendre vers la poésie dans cette rencontre est une façon de faire tintinnabuler les signifiants.

Comment la poésie (dans son sens large, c'est-à-dire pas uniquement en tant que genre littéraire, mais sous toutes ses formes) participe-t-elle à la création de la psyché humaine?

Si la poésie est une nourriture pour la psyché humaine, c'est parce qu'elle renvoie à un registre proprement humain. Nous sommes des êtres de langage et de culture, «nous ne sommes pas des bêtes qui parlent comme elles voient», pour reprendre les mots de Pascal Quignard. Il existe un intervalle entre entendre et écouter, voir et regarder, sentir et ressentir, entre un mouvement et un geste. Dans cet espace se loge ce qui nous affecte, parce que nous sommes de la communauté des humains. L'affect, c'est ce qui retentit en nous, ce qui se répercute sur le sujet que

---

1 Sigmund Freud, «Contributions à la psychologie de la vie amoureuse», dans *La vie sexuelle*, PUF, 1992.

nous sommes. Gaston Bachelard, dans *La poétique de l'espace*, distingue la résonance du retentissement : « Dans la résonance, nous entendons le poème, dans le retentissement, nous le parlons, il est nôtre. » Il ajoute : « Le retentissement opère un virement d'être[1]. » Autrement dit, la poésie engage le sujet à prendre part à ce qu'il vit. C'est possible parce que la poésie — en vers, en images, en actes — n'est jamais saturée de sens, elle laisse toujours place à un vide, à un trou, elle ouvre un chemin qui se dérobe et du même coup s'invente en retour pour chacun. En cela, elle nourrit la psyché humaine. Joël Clerget, écrivain et psychanalyste français, l'explique formidablement bien dans son texte *Je est un autre* : le poème est pour lui « une langue qui me dit : entre. Entre dans la demeure de la parole. Entre le poème et moi se tisse le chant d'un monde à venir, entre un à dire et un dire, entre ici et là, entre nous. Entré en nous et entre nous, le rythme poétique me fait être là, au monde vivant de la parole[2] ». Le monde vivant de la parole, c'est là que chacun a à prendre place ; la poésie s'offre comme une invitation à y entrer.

Est-il exact de dire que la poésie répond à un besoin humain universel ? Si oui, qu'arrive-t-il lorsque ce besoin est nié ou négligé ?
Oui, bien sûr que la poésie est un besoin universel. Nous vivons dans une société qui donne la primauté à la norme, au principe de précaution et à la transparence, au mépris de ce que chacun a d'unique et de l'opacité subjective de toute vie humaine.

Soyons sûrs que le réel — en tant que mystère irréductible, incassable — lui reviendra immanquablement.

---

1   Gaston Bachelard, *Poétique de l'espace*, sur philo-online.com.
2   Joël Clerget, *Je est un autre. Poésie et psychanalyse*, L'Armourier, 2007.

Comment la poésie participe-t-elle à créer du lien entre les gens ? Entre ceux qui la créent et ceux qui la reçoivent, mais également entre ces derniers spécifiquement, spectateurs rassemblés par une expérience poétique commune...

« Être humain et le savoir ensemble », c'est le titre de la 6e biennale d'art contemporain de Melle, un village de l'ouest de la France. Ce sont des mots empruntés à Gilles Clément. Je vous propose d'envisager une expérience poétique commune comme une façon d'éprouver ce que signifie « être humain et le savoir ensemble ».

Avez-vous en tête une expérience poétique forte où une beauté imprévisible a jailli et opéré, chez vous-même ou chez quelqu'un d'autre ?

Il me revient en mémoire d'avoir, il y a plus de 15 ans, éprouvé la paix du soir au bord du cratère du Ngorongoro, en Tanzanie. Je me suis assise là, me confondant avec la sauvagerie de la nature, caressée par le souffle du vent, invisible au soleil couchant. C'était comme faire l'expérience de la beauté, de celle qui « nous resti-tue chaque fois la fraicheur du matin du monde[3] ». Il y avait dans ce paysage une absence totale de traces humaines, comme si la Terre n'avait pas encore ses habitants. J'étais là, au début du monde !

---

3 François Cheng, *Cinq méditations sur la beauté*, Livre de Poche, 2010.

Impoésie 1

La cacophonie générale

1. La voix

L'époque fait grand bruit. Difficile en effet de trouver un coin où se mettre à l'abri de l'assourdissant manège tournant jour et nuit, pétaradant, hoquetant, ronflant — le flot pollué des ondes est le véhicule d'une logorrhée boueuse et indigeste qui semble s'autogénérer, sans possibilité de ralentissement, de pause, ou mieux, de silence.

(Pratiquement chaque fois que l'envie me prend de commenter l'actualité, ailleurs qu'au petit déjeuner ou qu'autour d'une tablée d'amis, elle est aussitôt suivie par la certitude que le fait d'ajouter ma voix à la bouillie ambiante ne peut rien apporter de bon. Chaque fois, aussi, je me dis que c'est dommage, puisque les gens dont je serais heureuse d'entendre la pensée se passent sans doute la même réflexion, me laissant seule avec tous ceux qui parlent fort et qui n'ont pas toujours pris le temps de développer leur argumentaire avant de prendre le crachoir. Mais je finis immanquablement par me dire que de ménager un peu d'espace sans bruit est sans doute le mieux que je puisse faire, et je m'éclipse consciencieusement du débat, à tort ou à raison.)

Je généralise et je suis, bien sûr, injuste. Il existe dans le paysage médiatique des espaces préservés, des bulles d'air bienfaisantes, des publications indépendantes, des éditeurs rigoureux et des penseurs éclairants. Il existe des îles. Je ne parle pas d'elles, bien entendu. Je parle de ce qui les noie. Je parle de la coulée de boue avec laquelle on nous remplit les oreilles et la tête, laissant peu de place en nous pour la réflexion éclairée, la pensée critique, et la joie du vrai débat.

Les chaines d'information continue se donnent le mandat de créer du contenu, souvent à partir de rien. Alors que nous n'avons pratiquement aucun accès à l'actualité mondiale, nous souffrons de mises à jour incessantes sur l'évolution de la moindre canicule, sur la *possibilité* d'une tempête de neige, sur la découverte du plus gros nid-de-poule montréalais — nous en sommes gavés jour et nuit, en boucle et comme si nos vies en dépendaient. Ça a pour résultat sournois de générer de l'angoisse chez la majorité des auditeurs, qui cherchent une nouvelle (donc quelque chose qui va mal) là où il n'y en a pas, et surtout, ça fausse complètement la donne pour le téléspectateur moyen, qui se croit informé parce qu'il subit pour la quatrième fois de la journée le bulletin en bref d'une chaine de télévision populaire.

Au même moment, les «radios à débat» (desquelles tout véritable débat est précisément évacué) et les chroniques, de plus en plus nombreuses, envahissent l'espace public. On nous abreuve de l'opinion de tout le monde, et de la pensée de personne. Comme si toutes les opinions se valaient, ce qui n'est heureusement pas le cas. Comme si la pauvreté intellectuelle du discours général était validée par le nombre d'auditeurs ou de lecteurs y reconnaissant leurs propres frustrations érigées en marottes.

Devant la masse de bêtises déployée tous les jours dans l'espace public, que faire ? Souvent, je pense : *répondre*. Parfois, je me dis même : *réponds. Contrebalance un peu la donne.* Plus souvent encore, au moment d'envoyer une réplique à quelque chroniqueur de mauvaise foi, je repense à cette entrée de blogue sur laquelle j'étais tombée par hasard :

> L'intelligence est un astre, la connerie, un trou noir. S'il est une chose acquise, c'est qu'il ne faut jamais opposer l'intelligence à la connerie, car si l'intelligence brille des lumières de la raison, la connerie absorbe sa lumière qui disparait et ne revient plus. Démentir les imbéciles est un travail sans fin [...]. La connerie est lapidaire là où l'intelligence commande de l'espace pour se déployer[1].

Ainsi, je choisis le plus souvent de ne pas nourrir le trou noir. Je me demande souvent si j'ai tort. Est-ce que je manque de combattivité, de courage ? Ou est-ce que je vois juste en répondant à côté, par ricochet, en opposant mon silence au grand n'importe quoi tonitruant charrié par une partie de la chronique d'opinion, celle-là même qui nous sert désormais de perron d'église ? Je n'arrive pas à trancher pour de bon.

S'ajoute à tout ça l'effarante quantité de vox pop dont on croit bon devoir nous gratifier jour après jour, et ce, même sur les ondes de la radio et de la télévision publiques, qui émaillent nombre d'émissions de ces consternantes prises de parole où rien ne peut véritablement s'exprimer, les questions du jour oscillant invariablement entre le grand mystère météorologique, l'impatience citadine devant les multiples irritants de la vie urbaine et la perte de confiance à l'égard de quelque palier de gouvernement.

Chaque fois que je nous vois, nous, citoyens nous révoltant de peine et de misère dans le micro d'une journaliste bien intentionnée, je ne peux pas m'empêcher de penser que ce n'est pas du sujet du vox pop dont il est question. Ce dont nous aurions besoin de parler, ce n'est jamais ce qu'on nous demande :

---

[1] Simon-Pierre Beaudet, «*Fuck* les 343 nazes», sur son blogue *Fuck le monde*, 1er novembre 2013.

Cet été, prenez-vous vos vacances au Québec ?
Êtes-vous content d'avancer l'heure ?
Selon vous, le Québec est-il affecté par le réchauffement
climatique ?
Êtes-vous pour ou contre l'hiver qui s'éternise ?
Pensez-vous que la bordée d'aujourd'hui sera la dernière de l'hiver ?
Avez-vous de la difficulté à supporter la chaleur ?
Accidents de vélo : qui sont les responsables[1] *?*

Ce dont il est question, au fond, sous toutes ces couches d'insignifiance, c'est de notre fatigue, de nos tracas noués en grappes le long de nos colonnes vertébrales, de notre peur de manquer quelque chose, de notre peur de manquer *de* quelque chose, et de notre longue, longue impuissance, si longue et si inscrite en nous que nous ne la voyons même plus. Ce dont il est question, c'est de la difficulté à vivre ensemble dans des systèmes où nous nous sentons par moment incompétents et le plus souvent incompris—et quand quelqu'un prend finalement la peine de nous demander ce que nous pensons (ou, encore plus prenant : comment nous nous sentons), nous nous jetons sur le portevoix, pour dire que nous n'en pouvons plus d'être si peu aptes à cette vie, si frigorifiés, si épuisés. Si seuls.

Si je suis souvent furieuse du temps d'antenne que les diffuseurs allouent à ces questionnaires creux, et si je suis indignée du fait que les médias les plus sérieux y consacrent de plus en plus de ressources, j'ai une tendresse sans fond pour ceux qui y répondent, indépendamment des sottises qu'ils profèrent parfois. Je suis pleine d'empathie, parce que par ces vox pop, par ces lignes ouvertes, par tous ces endroits où l'on nous donne

---

[1] Toutes les questions sont tirées de la section «Questions du jour» du site internet de MétéoMédia et de la section «La question Canoë» du site de TVA Nouvelles.

faussement la parole, nous cherchons ce qui nous lie. Nous y cristallisons notre colère, qui pourrait être belle et puissante, sur des objets infimes qui n'ont, au fond, que peu d'importance. Comme si notre appartenance à une collectivité était déterminée uniquement par des exaspérations partagées — par ce qui nous écœure, tout le monde. Mais faute de véritable discours, faute de parole générant un vrai espace de rencontre, nos maigres révoltes meurent dans l'œuf, et nous changeons de poste.

Tout ça participe à notre sensation d'isolement, d'impuissance, étrangement renouvelée par ces fausses messes auxquelles nous voudrions tant participer pour nous sentir exister ensemble. Nous disons alors avec force, et sur toutes les tribunes, des choses comme : *Nous sommes tannés de pelleter.*

Comme si de ce constat pouvait miraculeusement jaillir un projet de société.

Dans ce grand cri occulté par la banalité avec laquelle on s'acharne à le draper se cache pourtant une vérité à propos de la foule : elle a grand besoin de parler au *nous*. Elle a besoin de se rappeler qu'elle est capable de grandes choses. Bien sûr que nous sommes tannés de pelleter. Mais ce n'est pas là le fin mot de l'histoire : nous sommes tannés de pelleter parce que nous aspirons encore au sublime.

2. Le mot

La langue n'est pas une mince affaire.

Une langue vivante est, de préférence, désobéissante.

Une langue figée est bonne pour les étouffés et les pendus — les vrais amants, eux, savent que la langue est belle quand elle reste le plus déliée possible, souple, mobile : réactive. Amoureuse.

Je me méfie de tous ceux qui prônent une fixité dans les règles, une raideur dans l'usage de cet instrument qui forcément évolue, comme tout ce qui vit. Je me méfie de toutes les académies.

Je suis d'ailleurs férocement en désaccord avec cette idée que le français au Québec se dégrade plus rapidement ou qu'il est de moins bonne qualité qu'ailleurs dans le monde. Cette propension à nous faire nous sentir inadéquats en toutes choses me révulse, je la trouve malhonnête et méprisante, et je la rejette avec ardeur. La langue parlée par les Québécois, contrairement à un lieu commun qui nous est périodiquement inoculé, ne souffre pas de dégénérescence. Elle souffre d'un manque de confiance provoqué par des décennies de tapage sur la tête. Je n'adhère en aucun cas à cette campagne de salissage déguisée en velléités de sauvegarde du français.

Mais depuis quelque temps, je remarque une forme d'agression particulièrement insidieuse à l'égard de la langue : elle consiste à vider les mots de leur sens. À les empailler, en quelque sorte : on garde l'enveloppe, on la fourre avec n'importe quoi, et on recoud. Le mot a encore l'air vivant, mais il a les yeux morts.

Ainsi, l'utilisation de certains mots en dépit de leur signification réelle, exacte, précise est passée dans l'usage des médias d'une façon telle que plus personne ne s'en offusque. Mais il y a une chose capitale qui se joue dans cette pratique. Notre parole est peut-être l'instrument le plus puissant dont nous disposions, l'outil le plus créatif, la munition la plus menaçante. Bien utilisée, elle peut tout. Aussi, si on tente de la désamorcer à ce point, ce n'est pas innocent, ce n'est pas bon enfant : c'est précisément parce que la parole peut aussi être une arme. Quand on tente ainsi de nous la dérober, il nous faut la défendre, il nous faut la reprendre.

Le vocabulaire est désormais le champ de bataille des politiciens, des publicitaires et des chroniqueurs, qui appliquent rigoureusement le principe selon lequel il suffit de répéter assez une chose pour que cette chose devienne vraie. Comme il suffit d'utiliser assez de fois un mot à mauvais escient pour le vider de son sens initial—pour le saigner à blanc. Pour que la grève étudiante devienne un *boycott*; pour qu'un individualisme aveugle ayant «le droit d'accumuler de l'argent [pour] seule valeur partagée[1]» se transforme en *révolte des contribuables*; et pour que le maigre *burger* et les frites froides séchant au fond du sac en papier blanc se méritent le nom de *Joyeux festin*.

La parole est agissante. Déclasser l'ensemble de la population en la faisant passer de *citoyens* à *contribuables* n'est pas innocent. Le faire jour après jour, et faire entrer cette utilisation tendancieuse dans l'usage provoque une dépossession des droits et devoirs politiques : on n'est plus un participant actif à la vie de la cité. On n'est plus qu'un payeur de taxes. On n'a plus de prise sur l'exercice démocratique : il ne nous concerne plus, il nous échappe, puisque nous ne sommes plus *citoyens*, mais *contribuables*. Et quand tout ça est bien fait, nous nous mettons à nous désigner nous-mêmes ainsi, parachevant le boulot, intégrant l'amputation jusqu'à la faire volontairement nôtre, jusqu'à penser que cette riche idée émane de nous. *Nous, les contribuables.*

Malgré ce qu'on tente de nous faire assimiler, nous ne sommes pas que des contribuables, et nous savons bien, au fond de nous, que les *Joyeux festins* n'ont rien de joyeux.

Je voudrais dire ici ce que c'est qu'un festin, et ce que c'est que la joie, pour rétablir un peu l'équilibre du monde. Un festin est un repas de fête partagé par des gens qui s'aiment autour de tables longues et chargées de plats délectables. Un festin répond à toutes les faims, et pas seulement à celles du corps pesant.

Nous n'avons pas faim de McDo. Nous avons faim de beauté folle et de gestes gratuits. Nous avons faim de véritables festins,

---

1 Gabriel Nadeau-Dubois (préface), «Réapprendre à être démocrates», dans Roméo Bouchard, *Constituer le Québec*, Atelier 10, 2014.

festins joyeux de mots rendus à leur sens premier, ripailles de pensées, banquets d'idées, agapes de métaphores et de liberté. Nous avons faim de joies profondes, de celles qui naissent quand on danse pour rien avec le voisin, de celles qui tombent sur nos têtes quand la victoire semblait impossible. Nous avons faim de poésie dans les micros des sondeurs et des chroniqueuses : il nous faudrait apprendre Godin et Miron par cœur pour crier leurs mots chaque fois qu'on nous demande si on est tannés de payer, si on a perdu confiance en nos élus municipaux, s'il faut financer les études sans avenir, si on pense quelque chose de la légionellose.

Pendant qu'un grand bruit tente de nous en détourner, il y a une table qui se dresse en silence pour nous, pour accueillir le festin auquel nous avons droit, et qui est là, tout près, sans que nous le voyions.

La joie, dans sa clairvoyante bonté, ne nous illumine plus que rarement, par accident presque, parce qu'elle nait aussi, souvent, du fait de nous assoir autour d'une table, ensemble, et de nous parler vraiment. Et dans la parole, le monde se crée.

Mais si les mots sont vides, le monde s'efface.

Nous sommes ce pays, dans le sens de territoire. Nous sommes cette terre et nous sommes les mots qui l'engendrent. Mais si tout perd son sens, si l'on ne parle plus que pour à tout prix ne rien dire, tout disparait.

Le vacarme qui nous assaille n'a rien de banal. Il nous avale. Il est l'un de ces mécanismes banalisés et implacables par lequel on tente d'extirper de nous nos soifs les plus pures, pour les combler par un gavage sans fond et sans substance qui ne nous donne rien d'autre que les réflexes mortifères de courir plus, de travailler plus, de posséder plus, d'être toujours plus fatigués, d'enterrer toujours plus loin nos désirs véritables, de ne plus entendre ce qui appelle, si fort et malgré tout, en nous—comme un amour qu'on écrase au-dedans lorsqu'un jour noir, on le découvre à sens unique. Mais sous la chair gavée, la soif est toujours là.

Il faut répondre au vacarme, rappeler à nous le désir. Et le désir a besoin d'espace pour exister. Il nous faut nous défendre de ce remplissage massif. Il faut convoquer le silence plus souvent, ménager des jours de paix, protéger des heures vierges de toute opinion. Il faut se méfier de l'opinion comme on a dû un jour se méfier des curés.

L'imaginaire suffoque lorsqu'on l'inonde de lieux communs, de préjugés, de réponses toutes faites, de paroles de chanson creuses. L'imaginaire, ce muscle qui pourrait nous permettre d'inventer ensemble des solutions à pratiquement tous nos problèmes, s'ankylose dans cette surabondance de sirop sucré, rassurante parce que connue, légèrement écœurante, comme un dessert commercial, dans lequel on peut être certain de ne gouter à rien qu'on ne connaisse déjà.

Il faut du temps hors de tout ça pour faire advenir la pensée en liberté, la joie de parler par soi-même, et la poésie enfouie en nous, qui se concasse au milieu de tout ce bruit. Ce bruit accablant. Cette écrasante impoésie.

Compter les lucioles

Question à Serge Bouchard, anthropologue, écrivain, animateur

Si vous aviez à proposer une définition de la poésie, à la lumière de votre démarche citoyenne et artistique, et en lien avec votre regard d'anthropologue, quelle serait-elle?

Qu'ai-je vu dans le camion de mon oncle? J'avais dix ans et j'aurais très bien pu regarder ailleurs. J'aurais pu ne pas le voir, cet objet ordinaire, perdu entre deux poteaux de téléphone, un simple camion stationné dans la rue. Mais voilà. J'ai plutôt aperçu la tête ronde et inoubliable d'un Mack Model B, le visage attachant d'un tracteur de semi-remorque très commun dans ces temps-là. Sans réfléchir, aussi bien dire naturellement, j'ai vu la vie dans la machine, ses yeux, son nez, ses épaules et son cœur. La bête était là, devant le logement familial, alors que mon oncle George était venu prendre un café et jaser avec ma mère. L'animal se reposait, le métal de son nez dégageait un fin nuage de vapeur dans l'air froid au-dessus du capot, je sentais la force, l'énergie, le diésel; même éteint, le grondement de son gros moteur résonnait encore dans ma tête. Accoté sur mon vélo pendant une longue demi-heure, j'ai vu loin, plus loin, j'ai vu la route, le monde sauvage des grands espaces, j'ai vu la nuit, le froid, les constellations, j'ai entendu le hurlement du camion dans les côtes, son travail et son usure, j'ai vu tout ce que ces yeux emmagasinaient d'images, l'orage, l'orignal, le renard, un faisceau de lumière et des abimes de noirceur, la poudrerie, la tempête, les couleurs ensoleillées de l'automne, le mulot. Je me disais, imaginez, ce camion, il a vu Val-d'Or! Voilà le vaisseau de la liberté, la cabine de la grande évasion, des histoires qui déferlent et déferlent. Et mon oncle, ce bel homme, le chauffeur de la machine.

Qu'ai-je vu dans l'autobus Canadian Car de la ligne 86, en 1961? J'avais 14 ans, j'aurais très bien pu n'y voir qu'un vulgaire véhicule public, un passage obligé, le tombereau des pauvres. J'ai plutôt perçu une forme irrésistible, le dessin sublime de la résolution, de la fidélité et de la routine. La poésie de la vie quotidienne est la plus forte, elle demande une prouesse peu commune : animer l'ordinaire et le répétitif, donner une âme au désamour du monde, faire honneur aux décors de sa propre vie. Cela, encore, vient tout naturellement. Au terminus, tu attends l'autobus. Il apparait soudain, pareil à lui-même, compagnon de fortune, animal domestique qui tourne en rond, la machine qui partage ta fatigue, ton espoir et tes ambitions, le transporteur de milliers de destins semblables au tien. Un autobus urbain, ce n'est rien, mais dans la succession des stations d'un chemin où chacun porte la croix de sa peine journalière, ce rien se révèle souvent plein de sens. Et il y a plus. J'ai vu des chauffeurs aux cheveux blancs qui mettaient des gants pour conduire et empoigner le gros volant, ils ajustaient leur cravate et leur képi, c'étaient des capitaines, des commandants, les guides de la légion des petits ouvriers et des pauvres écoliers.

Finalement, qu'ai-je vu dans cette épinette noire malingre, ce chicot malaimé, ce vénérable inaperçu de l'invisible Nord ? J'y ai vu toute la résilience du monde, la grise grisaille des jours de peine, les piliers rabougris du temple des corbeaux. Ces épinettes prient, elles se recueillent, ce sont des carmélites de l'ère glaciaire, elles croissent et se tordent dans le désordre de l'antique sacralité. Elles dessinent les contours de la mélancolie, ce sont des horizons de petites et de grandes réminiscences. La nostalgie ne nous donne pas le choix : elle est là, la courbe du temps qui passe. Le subarctique est une chambre froide où se conservent les plus anciens souvenirs de l'histoire humaine. Nous sommes ici au degré zéro de la communauté. La terre enregistre patiemment les traces de nos pas, elle imprime les liens qui nous lient, elle se souvient même des traces des raquettes, de la buée qui sortait de la bouche des marcheurs, du son rythmé des souffles de chacun. Ici sont nées les familles, ici elles ont survécu. Aidons-nous les uns les autres, nous partageons tous les mêmes efforts, les mêmes chasses, les joies, les risques et les déceptions.

Voilà bien l'ultime liberté. Les animaux ne sont pas que des animaux, les machines sont plus que des machines, imaginez les gens, l'amitié, l'émotion. La poésie est un impensable raccourci qui donne accès au cœur multiple des choses. Une société amputée du pouvoir de sacraliser le moindre détail de son être est une société pauvre, constamment en crise de sens. Elle s'agite dans le vide de son instrumentalité, elle se perd dans le creux de ses calculs comptables. Cette société d'entrepôts, d'autoroutes et de grandes surfaces ne voit que la froideur de sa *terra rasa*. Qui chantera la solitude du goéland perché sur le lampadaire de cet immense stationnement ?

—

Comment définir l'intangible, capturer une image qui s'échappe constamment dans les marges ? Car la poésie est un acte de liberté. Nous sommes libres de créer le monde qui nous entoure, l'humain est essentiellement un créateur de mondes. La conscience vient avec cette qualité : l'imagination créatrice. Tu donneras vie aux barreaux de ta prison, tu t'évaderas par la fenêtre ouverte de ton imaginaire, rien ne peut t'empêcher de te recueillir devant une pierre humide, devant une clôture de broche, rien ne t'interdit de résister jusqu'au dernier coup d'œil.

Or, depuis l'époque des dieux uniques, des marchés internationaux, de l'accumulation des trésors, de la multiplication des biens, la conscience humaine s'est graduellement érodée. Elle se rabat sur le calcul, l'angle droit, la causalité, la rationalité, l'objectivité, toutes les coutures de ce manteau qui s'appelle la chape du pouvoir et du progrès. Nous sommes devenus unidimensionnels, c'est-à-dire redevables au réel, esclaves de l'empirie. Le prix de ce succès libéral et économique est énorme. L'histoire récente se présente comme une succession d'amputations et de sacrifices. Nous avons désenchanté le monde, perdu le sens de sa beauté, liquidé notre héritage de merveilleux, neutralisé l'efficacité symbolique de nos rapports aux objets, à la vie, à la mémoire. En principe, créer de la richesse économique ne devrait pas s'opposer à la création de la beauté. Mais force est d'admettre que la machine infernale en est rendue là : rien n'arrête le progrès.

———

L'humain, au temps où il avait les yeux ouverts, a toujours vu les mille facettes d'une chose, les mille sens d'un mot, les mille visages des bêtes, les mille couleurs d'une plante, ainsi que les liens mystérieux qui unissent le fer à l'étoile, le brouillard à l'arbrisseau, la montagne à la mort, la mort au corbeau et le mélèze à l'enfantement. L'anthropologie nous enseigne que les chiffres anciens étaient magiques, qu'il y avait un tableau des correspondances poétiques entre tous les éléments de la nature, que les arbres avaient charge symbolique, que les animaux et les étoiles se rejoignaient dans des assemblées nocturnes et que chaque geste s'inscrivait dans la démarche sacrée d'une âme en train de suivre une voie.

Nous avons raconté des mythes et des légendes autour d'un feu commun, nous avons ensemble mimé notre vie et fixé les règles du vivre ensemble. Ce premier droit coutumier ne faisait pas de distinction entre la poésie et le monde. La communauté, son histoire, ses outils, ses courses, ses maisons, ses naissances et ses morts, tout existait dans l'ordre d'une poétique qui donnait vie à l'épée, qui donnait un visage à la gargouille, une fonction protectrice à la branche de sapin, un sens à la mort de l'oiseau, un pouvoir à la pierre noire et une raison à l'antre de marbre dans les montagnes blanches du royaume des caribous magiques. La pensée originale a le penchant du beau, elle appréhende une totalité, là où l'ourse est ma mère, où les bouleaux sont de jeunes filles mortes enveloppées d'une écorce blanche, où les canots volent dans les nuages de la nuit, où des larmes de fantômes fuient les esprits malins, et ce sera le brouillard qui court à la surface des lacs, aux aurores d'octobre.

—

Un monde asséché de sa source poétique est un monde brutal, un monde dé-solidarisé et dé-couragé, dont le projet est essentiellement réduit à un tournoi quantitatif. Une société d'unités discrètes, de cellules isolées, de boites et de cubicules, de flèches et de cibles, d'objectifs et de mesures, le village épuré du *on/off*, qui donne un si beau confort technique, un divertissement si parfait, l'engourdissement suprême qui étourdit le client et paralyse la volonté collective. Alors, le discours public se tarit, les correspondances se perdent, et chacun résiste comme il peut dans son coin. À l'inverse, on attend d'un projet social qu'il autorise le rêve. Le droit de rêver la vie que nous espérons pour nous et pour tous est un droit politique.

Ce n'est pas au monde de définir la poésie, c'est la poésie qui définit le monde.

La vie illisible

1. Maison

C'est un de mes tout premiers souvenirs, je m'en souviens parfaitement. J'étais petite, assez petite pour qu'on me lise la même histoire tous les soirs en suivant le texte du doigt et pour que j'adore ça, ce rituel, cette magie douce. Je connaissais le texte par cœur, assez pour faire semblant de lire, mais je n'étais pas dupe de moi-même : je savais bien que je ne lisais pas. L'histoire, c'était *Cendrillon*, et la femme qui lisait patiemment, c'était ma mère. Un beau soir, en disant les mots en même temps qu'elle, en les suivant sur la page avec ma petite main, les lettres se sont comme placées, éclairées différemment, et j'ai compris d'un coup. Soudain, j'ai su lire, sans progression, de zéro à cent dans la même seconde : M.A.I.S.O.N., MAISON, maison. *Maison*. Je l'ai lu, et c'est comme si le mot avait ouvert devant moi tout un pan du réel que je devinais sans y avoir accès — j'ai eu l'impression que toute la vie devenait plus grande, une sensation d'horizon infini a envahi mon esprit, mon corps même, c'était physique. J'ai connu une sorte de joie qui ne m'a plus jamais revisitée, je crois, depuis. C'était une joie incandescente, brulante : joie pure.

J'entrais dans la lecture, j'entrais dans cette *maison*, je possédais enfin le code secret pour percer le langage écrit, ce refuge où me mettre à l'abri, ce paysage sans fond, ce pays à faire. Je pouvais enfin partir à l'abordage de ce nouveau monde qu'étaient les livres. Je me souviens d'avoir pensé : « Je ne serai plus jamais seule ! Je ne serai plus jamais toute seule. » (Bien plus tard, je me suis dit que cette pensée m'avait peut-être trompée, mais rien ne pourra jamais m'enlever la lumière initiale qu'elle a produite dans mon être quand, enfant, je l'ai énoncée pour la première fois.)

Lire m'a procuré certains de mes bonheurs les plus violents, et sans aucun doute mes consolations les plus profondes. Lire m'a sauvée, plusieurs fois, quand ma propre vie soudain me semblait illisible : au récit incohérent de mon existence, je superposais d'autres histoires, d'autres narrations, d'autres amours, et ces dernières éclairaient les miennes, ou me les faisaient juste oublier, le temps béni d'une plongée dans un autre esprit que le mien, dans une autre vie que la mienne.

Au-delà de tout, la lecture m'a appris une façon d'être au monde, entièrement, mais sans me faire trop de mal. Il y a des gens pour qui la même chose se passe en voyant des films, en dansant, en cuisinant des gâteaux ou en faisant de longs voyages. L'essentiel demeure que par un certain prisme, la vie, notre vie, soudain, devient habitable.

2. Soifs

Vers la fin de l'adolescence, je me suis mise à chercher autre chose, ailleurs. Je pressentais une source, mais je ne la voyais pas. Et j'avais soif. De sens et de beauté. De résistance, de résilience et de lumière. J'avais soif, d'une sorte de soif que presque rien ne peut étancher. Je ne savais pas quoi faire. Je vivais avec. Je n'étais plus que ça : une assoiffée. De vigilance. De courage. De tendresse. D'infini. Et la poésie m'est arrivée comme ça : par la soif, et par un cours de cégep donné par un jeune prof aux cheveux longs qui portait des T-shirts de groupes de métal et qui me faisait vaguement peur. C'était un très bon enseignant, exigeant et juste, qui aimait profondément la littérature, qui l'abordait de manière fabuleusement concrète et qui arrivait à faire écrire des poèmes sincères et travaillés à toute une flopée de jeunes de 17 ans, ce qui n'est pas rien. Pour la jeune fille pleine d'une pudeur torturée que j'étais, il a été un guide sans complaisance, d'une efficacité redoutable. La poésie écrite — ce genre littéraire malaimé, malmené, raillé comme on raille les adolescents trop sensibles, les enfants trop brillants, les adultes trop libres — m'a ainsi été donnée. En poésie, lire et écrire sont deux gestes étroitement liés, qui s'appellent l'un l'autre. Lire donne envie d'écrire qui donne envie de lire, et ainsi de suite, sans fin, semble-t-il. Lire donne envie de *répondre*. J'ai soudain eu accès à ce refuge pour sensations perdues, inédites ou blessées, à ces portes ouvertes aux accidents de la langue, aux chocs de sens et aux fulgurances des mots. J'ai appris que l'émotion pouvait jaillir d'une forme autant que d'un propos, et que quand ces deux éléments s'accordaient, se complétaient, l'esprit était propulsé dans des espaces incroyablement vastes, absolument inédits.

Au Québec, il s'écrit, il se dit une poésie d'une puissance inouïe. Je ne sais pas par quel mauvais sort on n'en voit, ni n'en entend presque jamais. La scène poétique a beau être furieusement vivante, elle est chroniquement sous-exposée.

C'est un genre que je connais mal, mais que je fréquente toujours, que j'aime en touriste, en amatrice (dans le beau sens du terme, dans le sens aimant). Immanquablement, quand je m'y frotte, j'en reviens lavée, comme neuve. Chaque fois qu'elle fait irruption dans le vacarme ambiant, chaque fois qu'on en pose sur mon chemin — Jean-Paul Daoust récitant une de ses *Odes* pendant *Plus on est de fous, plus on lit* sur les ondes de Radio-Canada, une courte phrase affichée sur le panneau lumineux de Dare Dare près du métro Saint-Laurent, des poèmes de Miron, de Péloquin ou de Giguère mis en chanson et jaillissant sans prévenir dans ma radio—, chaque fois, ma journée s'éclaire, je marche avec plus de courage, et je suis éperdue de reconnaissance pour ceux qui choisissent de partager avec le plus grand nombre la parole des poètes, pour nous rallumer le collectif, la perspective, l'«ardent voyage[1]».

Gérald Godin faisait campagne à bicyclette. Durant son porte-à-porte, il laissait des poèmes dans la boite à lettres des électeurs absents. Il avait compris que la poésie appartient à tout le monde, et qu'elle donne une vraie prise sur le réel, les enjeux collectifs, le politique. Il avait éprouvé son pouvoir incroyablement fédérateur et il le répandait. Peu de temps après son élection, en 1976, il a écrit le très beau «T'en souviens-tu, Godin?», une sorte de serment en forme de poème. Amir Khadir l'a d'ailleurs lu le jour de sa propre assermentation à l'Assemblée nationale, en hommage à son auteur. Je n'ai pas connu Gérald Godin, mais cet homme qui liait librement le poétique et le politique, cet homme me manque.

L'absence totale de poésie dans le paysage politique actuel me semble révélatrice de tout ce qui fait défaut à notre conception contemporaine de l'exercice démocratique. Nos manières d'appréhender chacun des enjeux auxquels nous sommes soumis sont complètement dénuées d'imagination, d'indépendance de pensée, de véritable liberté. En dehors d'un équilibre budgétaire aussi illusoire que fragilisant, nous sommes bloqués, sans inspiration aucune, et répétons machinalement les mêmes pratiques d'austérité et de démantèlement des filets sociaux dont nous nous étions pourtant dotés pour nous sortir d'une précarité généralisée. Or, ces dernières années, on a réussi à faire croire à la classe moyenne que son bonheur tenait exclusivement à son

---

[1] Tiré du poème «Énumération», de Gérald Godin, dans la version disponible sur le site internet du documentaire *Godin*: www.godin-lefilm.com.

pouvoir d'achat, et que ce pouvoir était menacé uniquement par les impôts qu'elle paye. Cette croyance a pour effet pervers de nous extraire de notre appartenance à une collectivité, en nous dressant en antagonistes les uns des autres. Et on se refuse à imaginer une autre avenue que celle du chacun pour soi. On applique ces principes à toutes les sauces, dans tous les ministères, peu importe le gouvernement en place. Et on obéit aveuglément aux entreprises, au libre marché, aux compagnies, en cultivant délibérément le sentiment d'impuissance général. Tout ça au détriment des citoyens et, surtout, du pouvoir et des responsabilités dont ils devraient se sentir investis devant les défis que nos sociétés ont à relever, dans cette époque de bouleversements écologiques et économiques.

Quelque part dans notre pays fictif, pourtant, la poésie couve, comme un feu de maquis, comme une promesse de sens et de beauté. J'attends le jour où elle éclatera publiquement, pour nous nommer, nous faire, nous charpenter — je suis persuadée qu'en elle se cachent quelques-unes des réponses les plus éloquentes sur qui nous sommes et ce que nous contenons de possibles, d'urgences, de blessures. Comme des rêves un peu difficiles à déchiffrer, mais renfermant toutes les clés pour résoudre nos blocages diurnes, notre poésie est pleine de ce que nous appelons, de nos potentiels inexploités, de nos aspirations secrètes, de ces manques lancinants que nous faisons semblant de ne pas sentir et dont nous ignorons délibérément les alarmes. Elle est l'inconscient du peuple — elle parle de lui mieux que n'importe quel expert, elle raconte merveilleusement bien cette identité tremblante qui est la nôtre et que nous cherchons furieusement dans les sondages et les lignes ouvertes. Elle est un remède si puissant qu'une infime dose, administrée à tous par un espace public qui lui ferait une petite place, suffirait pour nous aider à guérir de notre indécision, de notre ennui, de notre indifférence.

Notre indifférence: cet égoïsme frénétique que nous refusons obstinément de regarder en face. Cette défaite immense.

3. Ta nuit noire

Le père de Gaston Miron, poète éblouissant s'il en est, ne savait ni lire, ni écrire. Cette histoire n'a de cesse de me serrer le cœur. Je l'oublie chaque fois, puis je la réapprends au détour d'une phrase dans un article, ou d'un documentaire projeté en plein air dans un parc l'été. Miron enfant ne s'est sans doute pas fait raconter d'histoires en suivant les lettres du doigt.

Si Miron écrivait, c'est donc entre autres pour réparer cette fracture originelle entre un homme et sa propre langue, entre toute une partie de la population d'alors et un pouvoir d'auto-détermination qui lui était refusé, dérobé. À l'origine de certains de nos plus beaux poèmes, il y a ainsi cette histoire d'aliénation, de dépossession d'un père vengée (cent fois vengée) par le fils. Mais l'histoire ne se finit pas là, dans les pages magnifiques de *L'homme rapaillé* et les splendeurs de la *Marche à l'amour.*

Au Québec, le taux d'«analphabètes fonctionnels» frôle les 50%. Ce sont donc des gens qui sont le plus souvent passés par une scolarité obligatoire de base (primaire et secondaire, du moins en partie), qui ont ainsi bel et bien appris à lire et à écrire à l'école, qui sont pour la plupart d'entre eux sur le marché du travail, mais qui ne peuvent pas comprendre un paragraphe simple: «Selon les résultats de l'*Enquête internationale sur l'alphabétisation et les compétences des adultes* (EIACA), 49% des Québécois âgés de 16 à 65 ans ont des difficultés de lecture. Parmi ceux-ci, 800 000 adultes sont analphabètes[1].» Si on veut découper cette statistique pour être plus précis: 16% des Québécois sont analphabètes et 33% éprouvent de grandes difficultés de lecture.

---

[1] Les statistiques sont disponibles sur fondationalphabetisation.org.

Ainsi donc, presque la moitié des fils et des filles de Miron ne peuvent pas le lire, et ce chagrin aurait sans doute été plus douloureux encore au cœur du poète. Comment cela est-il possible ? Qu'un père avant nous ne sache pas lire, c'est une souffrance qui se surmonte, parce qu'on peut faire quelque chose de ce manque, aller plus loin, le dépasser, mais que comprendre du fait que la génération qui nous suit soit moins armée que nous ? Que faire de ce futur gâché, perdu ?

Les chiffres sont de Statistique Canada, ils sont cités par la Fondation pour l'alphabétisation sur son site internet, et ils mettent en lumière une réalité qui m'affole, et qui me plonge dans une peine insondable, celle de Miron pour son père, celle des poètes pour leur peuple. La moitié de mes concitoyens n'ont pas accès à la liberté de s'appartenir complètement, aux joies simples et aux lumières bienfaisantes de la lecture — ils n'ont même pas accès à une lampe de poche pour s'éclairer dans la mine du quotidien et de l'administration inhérente à toute vie en société. Comment peut-on espérer une quelconque justice sociale, un semblant d'équité, une démocratie digne de ce nom si les dés sont à ce point pipés, si les chances sont aussi inégales ?

De ça non plus, je n'entends jamais parler par ceux qui sont pourtant si pressés de me servir leur opinion sur tout. Est-ce que ça ne ferait pas honteusement l'affaire de quelque élite financière et politique, cette statistique ? Est-ce que ça ne faciliterait pas la tâche de ceux-là qui nous préfèrent bien tranquilles entre les élections, silencieux, affairés et soucieux, nous mêlant de nos affaires, pour pouvoir faire fructifier leur petit pactole entre eux, sans rendre de comptes à la population ? Est-ce que ça ne neutraliserait pas des forces vives mieux que n'importe quelle loi spéciale ?

Une chose est sure : ce n'est pas la marche actuelle vers la marchandisation de l'éducation qui va renverser la vapeur. En ce moment, chaque fois qu'on tente une nouvelle réforme, c'est pour aller dans le même sens, soit se soumettre aux exigences du marché du travail et de futurs employeurs virtuels, au détriment d'une formation générale obligatoire constituée de matières immensément utiles, mais acquises à des fins non utilitaristes. Comme le résume Antoine Robitaille dans *Le Devoir*, en cette rentrée agitée par les déclarations maladroites à propos du livre et des bibliothèques scolaires et la remise en question presque lassante des programmes collégiaux (quand ce ne sont pas des cégeps eux-mêmes): «Curieux: à une époque où tout le monde a le mot "citoyen" à la bouche, on songe précisément à réduire ce qu'il reste de "citoyen" dans la formation collégiale; au sens de "culture commune", mais aussi d'"humanités". Pourtant, la philosophie, la littérature, la maitrise de la langue sont des éléments de "flexibilité", mais d'une nature autrement plus importante, dans toute formation. *"Qui, parmi les jeunes, s'attend à conserver le même emploi toute sa carrière?"* s'interrogeait le conseiller municipal Guillaume Lavoie récemment dans un reportage de *Jobboom* consacré aux avantages des formations humanistes sur le marché du travail. Il exposait éloquemment le risque des formations techniques: *"Plus pointues, elles performent dans la bonne conjoncture, mais au premier changement, elles sont dépassées. La beauté des classiques, c'est qu'ils sont éternels."* Or, citoyen, électeur, on l'est longtemps[1].» Et lecteur, donc!

Mais voilà: lire mène vers l'affolante possibilité pour l'étudiant de réfléchir par lui-même, et donc de possiblement remettre en cause ce système et ses décideurs. C'est pourquoi on l'invite si peu à le faire. C'est ce vers quoi penchent toutes les tendances politiques actuelles en éducation: surtout, surtout, ne pas créer les conditions propices pour chercher, analyser, critiquer,

---

1 Antoine Robitaille, «La "flexibilité" et le panier», *Le Devoir*, 6 septembre 2014.

débattre, questionner. Tout d'un coup que de cet affranchisse-ment des besoins du marché et de la grande entreprise sourdrait une révolte, ou une œuvre d'art?

De la même manière qu'il est presque impensable de se déga-ger tout seul de cet engrenage, il est pratiquement impossible d'avoir accès à la poésie (à tout le moins littéraire) si on ne sait pas lire. C'est une évidence. Impossible de faire siens la puis-sance et le courage qu'elle contient. La vie nous glisse des doigts et demeure incompréhensible, et nous n'avons pas de prise sur son mystère opaque, pas plus que sur les pouvoirs obscurs qui façonnent nos existences. Impossible de nous dire, devant la dif-ficulté d'une épreuve à traverser ou l'injustice d'une situation, les mots de Miron:

> *nous avançons nous avançons le front comme un delta*
> *«Good-bye farewell!»*
> *nous reviendrons nous aurons à dos le passé*
> *et à force d'avoir pris en haine toutes les servitudes*
> *nous serons devenus des bêtes féroces de l'espoir*[2]

Et l'espoir est là, il existe, mais comme le poème qui le porte, il reste invisible à nos yeux. Illisible.

---

2 Gaston Miron, *L'homme rapaillé*, L'Hexagone, 1994.

Compter les lucioles

Questions à Daniel Weinstock, philosophe

Si vous aviez à proposer une définition de la poésie en lien avec votre regard de philosophe, quelle serait-elle ?

Je définirais la poésie comme une utilisation du langage à des fins autres que celles de la communication de contenus sémantiques. La poésie ne cherche pas à nous informer. Elle révèle d'autres potentialités du langage.

Comment la poésie participe-t-elle à notre compréhension du monde ? Peut-elle nous permettre de «connaitre» autrement, de nous approprier certains savoirs par une voie sensible ?

Le langage, dans son utilisation ordinaire, nous pousse vers l'affirmation : tel énoncé est vrai ou il ne l'est pas. La poésie défait ce lien entre langage et affirmation. Elle est la zone de la suggestion, de l'ellipse, de l'incertain. Elle nous permet donc de voir le monde comme une source d'ambigüités et de mystères.

Est-il exact de dire que la poésie répond à un besoin humain universel ? Si oui, qu'arrive-t-il lorsque ce besoin est nié ou négligé ? Croyez-vous que la poésie peut nous aider à vivre ?

Nos pratiques langagières influent grandement sur notre manière de voir le monde, les autres, nos relations avec d'autres humains. Une pratique langagière qui serait exempte de poésie ferait naitre un monde aux significations closes. Ce genre de monde serait beaucoup plus hostile aux compromis, à la remise en question, à une perspective critique par rapport à ce que nous sommes.

Il me semble que de nombreux maux qui affligent le monde sont produits par une pensée trop affirmative, qui voit le monde en termes de noir et de blanc, de dualismes, de certitudes. S'il est vrai que le manichéisme est une des sources de conflit en ce monde, et s'il est vrai que la poésie nous aide à nous détacher d'une telle perspective où les demi-teintes sont évacuées, alors il en découle que la poésie correspond à un besoin humain universel.

Comment la poésie peut-elle participer à la construction d'une pensée ? Est-ce que certaines notions, certains débats de société, certains sujets gagneraient à être aussi traités sous cet angle, qui est systématiquement écarté de tout discours en ce moment ?
Je ne pense pas que la poésie participe à la construction d'*une* pensée, mais de *la* pensée. Le langage dans sa forme purement instrumentale et communicative de contenus peut signaler la fin de la pensée. Il nous livre des résultats, des constats. La poésie est la manière par laquelle nous continuons à penser tout en parlant ou en écrivant. La poésie permet et encourage la fluidité, la recherche de manières toujours nouvelles d'appréhender des choses et des situations. En cela, elle est essentielle à la pensée.

Impoésie 2

L'état des lieux

J'ai dans la tête un estuaire
et la joie y crève ses eaux
Mathieu Gosselin

1. Le dedans et le dehors

J'ai grandi au bord du Saint-Laurent. J'habitais à Lévis avec ma famille dans une grande maison toujours en rénovation. À toute heure, de pratiquement partout chez nous, on voyait l'eau.

Au sortir de l'adolescence, je me suis mise à prendre le traversier matin et soir pour aller à l'école. Tous les jours pendant cinq ans, j'ai planté mes yeux dans ceux du fleuve, pour guetter ses humeurs instables, ses vapeurs discrètes — et je jure que tout ce temps-là, je ne l'ai jamais vu deux fois pareil. Grandiose et multiple, éternel, changeant. Majestueux dans le grand frette, sublime dans la tiédeur des soirs d'été. Toujours beau, toujours grand. J'aimais par-dessus tout le bruit des glaces l'hiver, quand elles se figeaient et qu'il fallait que les moteurs cassent tout pour bouger, dans le fracas des eaux et des petites banquises qui brisaient. J'avais l'impression que le commencement du monde avait dû sonner comme ça : comme un bateau qui fend le gel.

J'aimais faire ça : regarder. *Regarder*, ce luxe inouï. Contempler : considérer par la pensée. C'est donc par le fleuve que j'ai pris la mesure du territoire sur lequel nous marchons. Et à force d'être regardé par moi, le fleuve est devenu une part de ce que je suis. J'en ai l'intime conviction : nous devenons ce que nous admirons. Nous le prenons avec nous, en nous. Je suis le fleuve Saint-Laurent. Le fleuve m'a faite : il me fait encore. Le fleuve, le théâtre, les miens, quelques autres paysages, deux ou trois grands chagrins.

Malgré mon attachement profond pour le Saint-Laurent et de nombreux après-midis d'observation assidue sur les grèves de L'Isle-aux-Coudres, je n'avais jamais vu de baleines. Ou bien une fois, de loin, au large d'une plage de Sainte-Anne-des-Monts — mais je n'en étais même pas vraiment sure, l'image était floue. Je n'avais jamais vu de baleines, et pourtant j'en rêvais — la nuit, je veux dire. Leurs grandes formes mouvantes habitaient ma conscience, comme une sorte de paix en forme de poissons géants. Fragile et immuable, magnifique, insaisissable. Les baleines, dans mon esprit, représentaient toutes ces choses dont on peut être certain qu'elles existent, même si on ne les a jamais vues, même si elles sont menacées. Je croyais aux baleines comme on croit à l'amour quand on ne l'a pas encore connu, ou qu'il tarde à revenir se poser dans notre vie.

Cet été, j'ai visité L'Île-Verte pour la première fois.

Un matin de juillet, à la marée montante, j'ai vu au moins une demi-douzaine de baleines : dos luisant émergeant avec grâce, aileron, son bouleversant du souffle, étrange ballet hors du temps, hors du monde.

Les baleines existent. (L'amour aussi.)

Nous sommes faits de ce que nous voyons, des lieux que nous fréquentons, mais aussi de ce qu'on nous en raconte. Le récit des paysages que nous font la fiction, le documentaire, les nouvelles, nos amis qui voyagent constitue peu à peu en nous une sorte de pays intérieur où l'on rapaille les images du dehors pour s'en faire une géographie intime.

C'est pour ça qu'il faut soigner les lieux où l'on vit, et soigner aussi la façon dont on les raconte : on finit par être bâti comme eux.

2. La laideur

Il y a, partout dans le monde, des entrées de villes (c'est une locution verbale que j'emprunte aux Français, parce que c'est la manière la plus claire que j'ai trouvée pour désigner ces espaces un peu flous par lesquels s'amorcent les villes, sans pour autant commencer pour de bon). Ces entrées de villes s'étendent de plus en plus, inconsistantes, encombrées et moches. Partout dans le monde s'amoncèlent des panneaux publicitaires, des *fast-foods*, des hangars : constructions basses, plates, mornes, sans beauté — sans pensée. Des autoroutes strient les paysages. Dans un mépris remarquable de la qualité de l'environnement et de l'architecture, des maisons aux revêtements en vinyle, préfabriquées, génériques, liées à rien, sont implantées sur des rues à la géométrie incompréhensible et artificielle, tournant en rond autour de centres commerciaux, de magasins à grande surface, de supermarchés. Une sorte de ville sans cœur, sans centre, une ville qui n'en est pas vraiment une s'étale, grignotant sans vergogne (et sans grande planification) la campagne.

Impossible d'y habiter sans posséder une voiture. Pour la banlieue, même proche, les statistiques nous apprennent que la moyenne d'achat est actuellement d'une voiture par adulte. Alors que tout nous indique qu'il faudra le plus tôt possible sortir de notre dépendance aux combustibles fossiles, nous continuons à construire de petits paquets de maisons toutes pareilles qui ne peuvent être occupées sans que leurs propriétaires brulent de l'essence matin et soir pour les quitter puis les retrouver, au bout du jour, chargés d'une épicerie géante et de la fatigue ramassée sur les ponts, les boulevards et les viaducs.

Le Québec n'y échappe pas. Alors que les terres dont nous disposons sont naturellement harmonieuses, nous construisons sans jamais nous arrêter pour réfléchir l'espace, sabotant la beauté des lieux à grands coups de développements résidentiels inconsidérés—balafres irrémédiables dans le paysage, justifiées et portées, elles aussi, par une logique exclusivement marchande.

C'est une laideur qui n'est pas anodine: elle sape les esprits. On se met à penser bas. On se met à colporter partout une petite déprime sans nom pendant nos heures perdues dans le trafic.

Le manque flagrant d'une réflexion collective, d'une vision d'ensemble dans notre façon de penser et d'occuper le territoire nous condamne à la morosité générale.

Nous ne pouvons pas faire comme si ce n'était *rien*. Nous ne pouvons pas faire comme si ça ne nous concernait pas.

Le fait est que l'organisation de nos lieux de vie fonde notre façon de réfléchir à nos manières de vivre ensemble. Si nous ne les pensons pas nous-mêmes, si nous renonçons, si nous cédons à l'anarchie commerciale, à la surenchère publicitaire, à l'aveuglement des promoteurs, nous nous retrouverons seuls, chacun dans sa voiture, uniquement réunis par nos visites dans ces magasins qui gangrènent le panorama de nos vies.

La face des villes se formate, s'écrase, s'enlaidit. Nous devons déployer de plus en plus d'énergie pour permettre à nos imaginaires de s'élever au-dessus de tout ça, d'inventer de meilleures façons de cohabiter. L'envol se complexifie, la pensée devient lourde, les sourcils restent froncés. Et tout ça manque de beauté. De douceur. De savoir-vivre. Et, à nous tous en file pendant des heures derrière nos parebrises, ou éveillés trop tôt le matin dans l'aigreur d'une insomnie inexplicable, ou solitaires devant nos écrans, la poésie manque cruellement. Nous ne savons plus où rejoindre les autres. Et nous ne savons plus comment continuer à vivre avec eux.

3. Le contraire de la poésie

Je vais parler d'une réalité dont je sens que personne n'a envie de parler en ce moment—ce que je m'explique mal. Je vais le faire dans le cadre de cet ouvrage, puisque je ressens notre silence collectif par rapport à cet enjeu comme étant précisément la même chose, le même silence que notre besoin de poésie tu et nié, enfoui en nous. Je vais parler de pétrole; j'aurais pu parler du fond des océans, des projets miniers, des gaz de schiste. C'est la même question. Le même scandale dans d'autres costumes. L'indignation que je ressens, que nous sommes nombreux à ressentir puis à taire (à l'exception notable des gaz de schiste, puisque la mobilisation citoyenne dans ce dossier a permis de faire reculer l'industrie), cette indignation, donc, c'est la poésie en nous qui se lève et qui refuse.

Il y a en ce moment des saccages annoncés qui planent sur les années, sur les décennies à venir. Je ne peux pas m'empêcher de ressentir l'exploration et l'exploitation pétrolières comme de véritables agressions, comme des menaces physiques à ce que nous sommes. Mutilations.

Je suis sans voix devant l'à-plat-ventrisme qui préside à notre rapport à l'exploitation de ces ressources. Je ne conçois pas qu'aucun élu provincial d'un parti au pouvoir n'ait encore eu le courage politique de refuser de céder terres, mers, oiseaux, mammifères, merveilles et mondes entiers inattaqués, vie sauvage et eau potable aux bandits qui projettent d'extraire du pétrole de schiste, le plus polluant, le plus sale, de nos terres.

Au moment où j'écris ces lignes, nous sommes au bout de juillet, en plein cœur des trop rares vacances qui allègent nos longues années à nous affairer. Nous travaillons tant, et l'été est si court—forcément, les cœurs sont légers, les regards délaissent les écrans pour quelques rares journées de déconnexion bénie. L'opinion publique est à la plage. Pendant ce temps, pas une journée ne passe sans qu'une annonce scandaleuse ne soit faite, concernant les nouvelles frappes des pétrolières.

Les forages exploratoires ont commencé à Anticosti. Il y en aura entre 15 et 18 sur l'ile d'ici la fin de l'été.

Québec a finalement dévoilé son règlement sur la protection de l'eau potable, fixant la distance minimale entre un site de forage et une source d'eau potable à 500 mètres, invalidant le règlement municipal que la Ville de Gaspé avait mis en place et qui établissait cette limite à un modeste deux kilomètres, pour se protéger des explorations intempestives de la compagnie Pétrolia. Cinq-cents mètres. Une blague. Cinq-cents mètres qui ne protègent rien, sauf les intérêts du plus fort.

La municipalité de Ristigouche, qui avait adopté un règlement semblable dans le but de protéger son eau potable, est poursuivie par la pétrolière Gastem. Le gouvernement ne compte pas s'en mêler, laissant la petite municipalité aux prises avec un procès pour «[avoir] outrepassé ses pouvoirs en créant de toutes pièces une nuisance par la prohibition d'une activité d'exploration ne présentant aucun inconvénient sérieux et n'étant aucunement susceptible de porter atteinte de quelque manière que ce soit à la santé publique ou au bienêtre de la communauté[1]». Dans la foulée, Raymond Savoie, président de Gastem, ancien ministre libéral, pousse l'élégance jusqu'à traiter les militants écologistes de «fascistes[2]», rien de moins. La poursuite punitive dont la municipalité de 168 habitants fait l'objet est un exemple épatant d'intimidation de la grande entreprise; c'est une attaque inacceptable, et elle a lieu en toute impunité, sans que rien ni personne vienne s'interposer entre les citoyens et la compagnie.

---

[1] Libellé de la requête déposée en Cour supérieure, tel que cité dans l'article «Québec laisse tomber Ristigouche» d'Alexandre Shields, publié dans *Le Devoir* du 29 juillet 2014.

[2] Gilles Gagné, «Le pdg de Gastem qualifie les militants écologistes de "fascistes"», *Le Soleil*, 16 février 2013.

Nous sommes au plus caressant, au plus tendre de l'été, et je suis en furie.

Je ne peux pas m'empêcher de penser que ces gens qui prennent des décisions, ces gens qui jettent nos ressources en pâture à des compagnies sans foi ni loi, sans conscience et sans scrupules, ces gens qui mettent leur énergie et leur compétence au service de ces mêmes compagnies, ces gens qui dirigent des pétrolières, ces gens qui forment mon gouvernement, ils ne savent pas ce qu'ils font. Que si, comme moi, ils se frottaient à ce pays, même peu, même sans le vouloir, que s'ils goutaient un seul moment la prodigieuse splendeur qui s'abat sur nous quand on se met à vraiment regarder ce bout de terre inouï sur lequel nous marchons, ils arrêteraient tout ce cirque grossier.

Je voudrais les emmener voir le Québec avant qu'ils ne le détruisent. Je voudrais marcher avec eux et faire entrer en eux l'humilité qui nous touche forcément devant le grandiose. Le grandiose ne niche pas toujours où l'on pense—et le grandiose est d'une fragilité bouleversante.

Je ne comprends pas que nous ne soyons pas tous hors de nous quand on annonce un projet de port pétrolier à Cacouna, en plein cœur de la pouponnière des bélougas, cette espèce en déclin dont nous portons le poids de la sauvegarde. Je ne comprends pas la longue série d'approbations qui mène à cette dévastation à venir. Je suis médusée par la faiblesse de la portée des cris d'alarme lancés par les groupes environnementaux qui se battent, seuls semble-t-il, contre les décisions prises sans avis scientifiques, dans un contexte d'indifférence quasi générale. Où sont les citoyens? Où sommes-nous? Nous sentons-nous donc si impuissants que nous n'avons même pas un soubresaut de contestation? Ainsi nous laissons faire ça, sans même nous en parler? Car la question demeure entière: est-ce bien *ça* que nous voulons?

Forer, c'est détruire. Faire passer un pipeline sous le fleuve, c'est détruire. Construire un terminal pétrolier, c'est détruire. C'est tout.

Forer ici, c'est nous détruire nous-mêmes.

Nous. Ce qui nous constitue. Nous les marsouins, nous le fleuve, nous les iles, nous le silence, nous les champs, nous la douceur de vivre, nous les jardins, nous les générations à venir, nous les baleines, nous l'amour.

Nous pouvons désobéir. Dire haut et fort : nous ne voulons pas nous détruire. Nous pouvons refuser — donner voix à ce qui proteste en nous. Réciter ce poème, le plus court mais l'un des plus puissants : NON.

Nous ne le faisons pas. Pourquoi ?

Nous sommes fatigués, c'est vrai. Et tout ça nous semble vain. Mais ce ne l'est pas. C'est une question de survie — dire que nous sommes fatigués ou indifférents ou que nous nous sentons impuissants consiste, *grosso modo*, à ne pas nous écarter du chemin d'un camion qui foncerait à tombeau ouvert sur nous pour ces mêmes raisons.

Fatigués ou pas, impuissants ou pas, nous devons juste nous tasser de là. Maintenant.

4. D'autres combustibles

Comme l'écrit Hugo Latulippe, « ce pays n'est pas à nous. Ce pays est le territoire de ce que nous sommes. Nous avons le devoir d'en léguer la beauté[1] ». Et comme il le souligne dans le même texte, il semble nous n'ayons pas commencé à la voir, la beauté de ce pays.

---

1 Hugo Latulippe, « En quête de beauté ! », *Le Journal de Montréal*, 11 avril 2014.

Ce pays de battures aux odeurs de roses et de varech séché.

Ce pays de marées infatigables, de sable mouillé, de bois flotté, ce pays aux mille grâces éblouissantes, parfumées, vivaces, sauvages. Debout. Entières.

Ce pays de graminées salées, de foin de mer, de longues terres qui descendent jusqu'au fleuve.

Ce pays d'iles imprenables.

Ce pays de coquillages aux nacres doux, ce pays d'esturgeons géants, ce pays de mouettes, de canards, de hérons.

Ce pays de vent fou.

Ce pays de forêts, de lichens, d'écorce, de grands arbres, de rivières frémissantes, de lacs gelés, d'ail des bois, de bleuets, d'épinettes noires, de huards, de lièvres, de perdrix.

Ce pays de bernaches volant au-dessus de chacun de nos printemps.

Ce pays de ciel trop grand.

Ce pays de temps qui doute.

Ce pays de saisons âpres, somptueuses.

Ce pays revêche, droit, infini.

Ce pays qui tremble dans la lumière des vastes oiseaux de mer, qui respire par le souffle puissant des rorquals, qui détale dans le pas roux des chevreuils d'Anticosti.

Ce pays dont on vit, la plus grande partie de nos vies, et le plus clair de l'année, si éloignés.

Ce pays qui nous manque tant.

Nous pourrions inventer d'autres manières de vivre. Nous pourrions bruler d'autres désirs, d'autres combustibles. Nous en serions tout à fait capables. Il nous suffirait de le vouloir.

À ceux qui déploient toutes leurs énergies à nous faire vouloir des voitures plutôt que tout le reste, j'ai envie de dire ceci : l'or des fous n'est plus ce qu'il était.

Autrefois, l'or des fous, c'était la pyrite. C'est le pétrole, maintenant. Et les fous, c'est vous.

Les fous, c'est nous.

Nous sommes au bord d'une faillite morale ahurissante, avec toutes nos capitulations. Ce qui nous a menés à cette faillite, ce qui menace de nous y jeter pour de bon, c'est le déni d'une beauté qui nous appartient en tant que collectivité et la renonciation (parfaitement intégrée) au besoin que nous avons de cette beauté — de cette poésie pure. En ce moment, nous trahissons la plus belle part de nous-mêmes pour quelques centaines de *jobs* qui n'existeront plus dans deux ans.

Nous nous piétinons le cœur.

Et nous le sentons, même confusément, même sans savoir ce qui cloche au juste, même sans oser nous le dire : il n'y a pas une *job* qui vaut cette reddition.

Compter les lucioles

Questions à Hugo Latulippe, cinéaste et auteur

Si vous aviez à proposer une définition de la poésie, à la lumière de votre démarche citoyenne et artistique, quelle serait-elle?

La poésie est une lueur qui s'immisce parfois entre nous et le monde. C'est un flottement, un pas suspendu, une clarté soudaine qui nous fait sourire avec les yeux, plier-craquer lorsqu'on pensait rester de glace.

La poésie est *une intelligence du cœur*, comme l'a simplement écrit (et mille fois prouvé!) le poète palestinien Mahmoud Darwich.

La poésie a quelque chose de plus grand que nous et de plus grand que la somme des ingrédients qui la font surgir. Elle commande un respect et parfois même un agenouillement. Lorsqu'elle survient, je me sens comme le devoir de trouver les mots justes ou de poser des gestes à sa hauteur pour lui répondre. Lui faire écho. Il s'apprend, le devoir d'honorer la poésie qu'il y a dans le monde et chez les gens. C'est peut-être ça, la sagesse?

Et puis il est certain que de tout temps, la poésie a inspiré aux humains des choses impossibles (comme de voler dans le ciel avec les oiseaux, par exemple).

La poésie est visible lorsqu'on mange à sa faim, que quelqu'un veille sur nous et qu'on a un lieu au chaud où dormir. Lorsqu'on a du temps devant nous. Lorsqu'on a des yeux, une oreille, pour voir et entendre la fragilité des autres. Lorsqu'on a conscience de la chance d'être né dans un grand pays sauvage et qu'on a conscience, surtout, du lien sacré qui nous unit au grand pays sauvage. Lorsqu'on a de la marge (pour faire l'amour l'après-midi, pour prendre un café avec ceux qui nous le demandent, pour écouter les gens qui nous parlent de choses personnelles ou douloureuses dans les corridors). Lorsqu'on est libre et alerte, lorsqu'on n'a ni dieux, ni maitre. Lorsqu'on est perpétuellement prêt à ouvrir une nouvelle porte dans sa vie et que l'on n'est certain de presque rien. Lorsque la lumière est juste comme il faut sur le fleuve, à la fin des jours d'été, et qu'elle gorge de bleu le halo qui nimbe les gens qu'on aime. Lorsqu'on acquiesce à l'idée de n'être qu'une goutte dans l'océan.

Je tiens à dire que la poésie vient invariablement à moi par les autres, puisque je suis atteint de la maladie du siècle, celle de l'agitation permanente. La poésie, c'est les autres.

Selon vous, comment la poésie peut-elle enrichir notre rapport aux espaces que nous habitons?
Comme pour les Inuits qui sculptent la pierre en cherchant à révéler les œuvres qui se trouvent *déjà* dedans, la poésie est déjà là. Elle nous attend. Elle est une rivière souterraine. Si on croit qu'il n'y pas de poésie dans le monde, c'est simplement qu'on ne sait pas la reconnaitre (ou parce qu'on ne mange pas à sa faim ou parce que la télé est allumée).

Je pense d'ailleurs que les Québécois n'ont pas commencé à voir la beauté du pays qu'ils habitent, puisque le quartier DIX-30 existe bel et bien à Brossard et que tout le monde semble rêver d'y aller, voire d'y vivre. Quand je vais dans le DIX-30, moi, et que j'attends dans ma voiture que le feu tourne au vert ou que je marche vers l'une de ces boutiques gigantesques, je me sens comme un imbécile. Je me sens appartenir à une espèce qui n'évolue plus. Une espèce qui stagne, qui a l'Histoire *stallée*. Devant cet entêtement brutal de mes contemporains, devant cet acharnement à contrecarrer la poésie de manière aussi radicale, je me sens dépourvu. Apatride.

Que peut la poésie contre l'argent, l'économisme, les grandes compagnies, les pétrolières, les minières?
Comme beaucoup de gens, j'ai vu le film *L'erreur boréale* à la fin des années 1990. Pour moi, il y a eu un *avant* et un *après* ce fameux plan aérien où nous remontons une grande rivière du

nord et où, tout à coup, la caméra fait un panoramique vers la gauche pour dévoiler le pays tel qu'il est, au-delà des bandes riveraines de *bois deboutte* laissé par les compagnies forestières. Je me souviens d'avoir beaucoup pleuré en comprenant le sens de ce plan-là, juste au moment où il bascule du côté des ténèbres.

Ce plan résume et révèle le grand mensonge du monde contemporain, celui qui tente de nous faire croire que le progrès humain est le corolaire de la croissance économique perpétuelle.

Je ne m'en suis pas encore remis, moi. C'est à mon avis l'un des plus importants plans de l'histoire de notre cinéma. Il dit avec force et précision, sans coupes ni effets spéciaux, la guerre qui fait rage entre l'économisme-délire et la poésie.

C'est la guerre, cela mérite d'être dit. Comme Pasolini, je pense que l'économisme incarne la nouvelle forme du fascisme. Et le fascisme est l'opposé de la poésie. C'est pour cette raison que durant la guerre d'Espagne, entre 1936 et 1939, des écrivains célestes comme André Malraux ou Ernest Hemingway ont littéralement pris les armes et rejoint les Brigades internationales. La guerre infinie qui se jouait entre l'argent et la poésie a été menée et vécue par des hommes et des femmes qui nous ressemblaient.

Je souhaite ne jamais pointer une arme vers un autre humain. Mais puisque le fascisme semble éternel, je souhaite parvenir, à ma mesure, à incarner la même résistance (avec mes films, avec mes mots) que ces gens qui ont porté le feu. «Unis dans le dévouement aux autres et dans le désir absolu d'un monde plus humain, résistons», écrivait Ernesto Sabato.

Avez-vous en tête une expérience poétique forte où une beauté imprévisible a jailli et opéré?
L'histoire se passe à l'automne, au moment de la rentrée scolaire, dans une jolie petite école à trois étages, fréquentée par mes deux enfants, Alphée et Colin. Alphée est en 1re année et fréquente

donc la classe du 1ᵉʳ étage. Colin, lui, est en 5ᵉ année et fréquente une classe du 3ᵉ étage.

(Notons ici que la petite Alphée est arrivée sur terre avec une condition médicale qui ralentit son développement neurologique et musculaire et qui lui pose un nombre de défis sociaux, médicaux, cognitifs et moteurs que peu de gens expérimenteront dans leur vie. Pour reprendre un terme que les gens utilisent généralement au golf, disons qu'Alphée a un handicap.)

Durant toute la première semaine des classes, la professeure d'Alphée remarque quelque chose de bizarre. Un grand garçon dont elle ne connait pas le nom traverse tous les matins le couloir du 1ᵉʳ étage et emprunte les escaliers de l'arrière du bâtiment plutôt que de prendre ceux du devant, comme le veut la procédure. Et chaque matin, il s'arrête quelques secondes dans l'embrasure de la porte de sa classe pour surveiller une chose bien précise... La professeure met un temps à comprendre que c'est Alphée qu'il surveille.

Au fil de la semaine, la professeure s'informe discrètement de l'identité de ce grand garçon aux yeux doux. C'est Colin. Il a, de sa propre initiative, décidé de s'assurer que sa petite sœur allait bien et que tout se passait normalement pour elle. Au risque de devoir assumer les conséquences de sa désobéissance aux règles de l'école.

Lorsque j'apprends cette histoire de la bouche de la professeure d'Alphée, bien plus tard dans l'année scolaire, mon cœur fend en deux. Ça, c'est tout lui, tout Colin. Lui qui nous dit parfois *détester* sa sœur (et l'intérêt qu'on lui porte), alors qu'il veille sur elle. Comme un ange gardien.

Cette bienveillance, ces petits gestes secrets qu'il pose pour elle lorsqu'il se croit à l'abri des regards sont le gisement de poésie le plus grand que je connaisse.

Mouvements de foule
et poétique
des catastrophes

Tu diras
Tu diras que c'est l'instinct qui t'a
mené jusqu'ici
L'intuition d'un sentiment
qui ne reviendra pas

Tu diras
Tu diras que tous tes sens piochaient
du même bord
d'un même élan
poussés par une force étrange

Et ce sera ton camp de base

Stéphane Lafleur

1. Sonner juste

Tous ceux qui l'ont vue se souviennent de la très belle vidéo du réalisateur Jérémie Battaglia, qui a filmé, en noir et blanc, une manifestation de casseroles à Montréal au printemps 2012[1]. Sur une chanson du groupe Avec pas d'casque défilent les images prenantes d'une foule mélangée et étonnamment paisible, des voisins, des amis, des inconnus qui sortent de chez eux et se rejoignent aux carrefours pour protester ensemble contre une loi spéciale qui ne leur disait rien de bon et, plus largement, pour signifier au gouvernement en place qu'il était allé trop loin.

Peu d'images du Québec me bouleversent autant que celles-là—je suis émue jusqu'à la moelle quand je repense à ce

---

1 La vidéo est disponible sur le site internet du réalisateur: jeremiebattaglia.com.

printemps où tout est devenu impossible à prédire, des manifestations étudiantes historiques et inspirées à ces soirs inouïs de casseroles. Mon peuple me semblait alors porté par une grâce que je ne lui connaissais pas : il désobéissait. Enfin. Et pour moi, toute poésie part de là : d'une insoumission, d'une insubordination. Elle est l'expression de ce qui reste droit en nous quand tout fout le camp — quand nous sentons que ce qui se joue au-dessus de nos têtes n'est pas juste (comme on dit d'une note ou d'une voix qu'elle n'est pas juste : qu'elle fausse).

Dans *Tenir tête*, Gabriel Nadeau-Dubois analyse fort bien ce qui a rendu ce mouvement spontané de la population si puissant : « Si la délinquance se fait dans la marge, dans l'ombre, les casseroles, elles, tonitruaient en plein jour et aux yeux de tous. Ce qui donnait tout son éclat à ce geste, c'était son caractère public. [...] La désobéissance civile n'est pas qu'un simple refus d'obéir et elle ne conteste pas l'existence des lois, mais bien les errements de ceux qui les promulguent. Elle ne refuse pas les institutions, mais leur détournement. En ce sens, la désobéissance civile est profondément démocratique[2]. »

Un printemps peut en cacher un autre, et c'est ce que nous avons découvert avec émotion lors de ces tintamarres nous rassemblant autour d'une forme particulièrement imagée de ras-le-bol : nous d'ordinaire si timides, si bons élèves, si pressés de rentrer à la maison sans attirer l'attention, nous d'ordinaire si peu enclins à contester l'ordre établi, nous nous sommes mis à cogner en chœur sur nos batteries de cuisine, et même tout seuls à nos fenêtres, nous n'étions soudain plus vraiment seuls. Mieux : nous faisions de l'expression de notre colère un moment de joie partagée. Comme pour tous les mouvements de foule, nos

---

2 Gabriel Nadeau-Dubois, *Tenir tête*, Lux, 2013.

parades au pied levé avaient une force poétique décuplée par le nombre. C'était presque l'été et nous nous voyions enfin la face : nous avons ce handicap, ici, de vivre le plus clair de l'année encabanés dans nos apparts, emmitouflés dans nos foulards et nos manteaux, sans jamais croiser les voisins. Marcher dans la ville soudain habitée, soudain pleine de monde, était d'autant plus bouleversant, d'autant plus euphorisant—nous nous rencontrions enfin.

On pourrait parler très longtemps de toutes les formes de beauté qui ont jailli lors de ce printemps fulgurant, affolant, enivrant. J'étais personnellement amoureuse des étudiants de l'École de la Montagne Rouge et de tout ce qu'ils faisaient (oh, comme j'aurais voulu avoir 20 ans en 2012 !); mais si plusieurs organisations, grévistes et artistes ont posé des gestes créatifs forts et fait de l'espace public occupé par la grève étudiante un lieu hautement poétique, c'est d'abord parce que les fondements de ces actes étaient une résistance profonde et grave, une révolte authentique, une véritable dissidence. C'est par là qu'est arrivée la poésie, et qu'elle s'est mise à marcher avec la foule, en frappant elle aussi sur sa petite casserole.

2. Les écoles sont fermées

C'est un souvenir dont nous détenons chacun une version. Ces matins d'hiver où, éveillés sous la couette mais les yeux encore fermés, le pressentiment nous prend, nous reconnaissons l'odeur de la neige depuis le lit, avant d'ouvrir un œil, et alors nous le savons hors de tout doute : *il y a une tempête*. Dehors la ville ne sonne pas tout à fait de la même façon que d'habitude, quelque chose est plus sourd, quelque chose de suspendu se déplie dans l'air. La lumière est plus lactée. Le temps, plus cotonneux. Les sons sont mous, comme fondants, comme étouffés. Et pourtant, dans la maison faussement calme, il y a un petit branlebas : les écoles sont fermées, la radio l'a dit. Il faut faire des crêpes.

J'étais une petite fille grave qui lisait tout le temps, j'adorais l'école. Pourtant, même à moi, la joie du congé inattendu était donnée. Même pour moi qui devais se soustraire à un lieu aimé, à une routine bienfaisante (j'étudiais avec bonheur, j'imagine donc la sensation de ceux qui détestaient tout ça), ces échappées blanches étaient comme des encoches bénies dans le ruban lisse de l'enfance, puis dans celui plus accidenté de l'adolescence. Je ne sais plus à quel âge l'idée qu'une tempête puisse être plus chiante que joyeusement surprenante est entrée dans mon être, mais ça ne fait vraiment pas très longtemps. C'est sans doute parce que mon école n'est plus jamais fermée, et qu'il faut toujours désormais que je m'habille et que je fonce dans les éléments, coute que coute.

La tempête de neige, celle que nous espérions, enfants, comme une irruption salutaire de la sauvagerie de l'hiver dans nos années scolaires trop bien planifiées, est une version douce de la catastrophe.

Elle est la péripétie météorologique la plus bénigne, elle ne fait pas de victimes (enfin, nous l'espérons), et en bloquant les routes et les entrées de garage, en rendant caducs nos moyens de transport, elle nous astreint à la liberté — mais à une liberté intérieure, dans nos maisons, au creux des pyjamas et des robes de chambre, ou alors dans la neige même, emmitouflés, explorateurs de la cité paralysée et de l'extraordinaire rendu visible tout juste le temps de la crise. La semaine est délicieusement coupée. La nature tout à coup reprend son autorité innée. Il n'y a plus que le vent, la neige, la buée dans la fenêtre, et la surprise d'avoir à sa disposition tout un jour à soi.

La tempête, comme la poésie, rend la vie imprévisible. Elle invite au piquenique dans le salon, à l'école buissonnière, au souper à la bougie pendant la panne de courant, elle invite à échapper à la tyrannie du quotidien. Elle nous extrait de l'habituel, du convenu, du conforme, et tous les enfants savent combien il est bon de gouter à ces incartades inespérées.

3. Vertiges : peur et désir de chute

Déluge du Saguenay. Petite maison de bois toujours debout au milieu d'un torrent déchainé se déversant de chaque côté d'elle.

Crise du verglas. Des jours et des jours dans le froid et le noir. Pylônes géants pliés, ployés. Épaisse couche de glace recouvrant tout. Millions d'arbres endommagés.

11-Septembre. Avions fichés dans les gratte-ciels. Gens qui se jettent dans le vide. Tours effondrées, poussière partout sur la ville, silence sur New York affolée. Terreur, terreur. Gens qui marchent, en complet, couverts de poudre blanche, dans les rues désertes. Disparus. Odeur de cramé pendant des mois.

Lac-Mégantic. Train fou. Déraillement dans le cœur du village. Flammes, explosions, incendie monstrueux. Images d'apocalypse. Nuages noirs fumant dans le ciel rouge. Pétrole brulant déversé.

Et c'est sans compter les autres désastres, plus lointains, aux noms plus exotiques : tsunamis, tremblements de terre, coulées de boue, marées noires, tornades, ouragans. Révolutions. Guerres. Attentats.

Ces jours-là, les jours de catastrophe, l'air vibre différemment. On le sent confusément, quelque chose s'est déplacé dans la marche du monde, on pourrait tous trébucher. C'est comme un pressentiment, il y a une ambiance bizarre dehors, et quand on allume la radio ou que quelqu'un nous dit : «As-tu vu ce qui s'est passé ?», le sang affleure, on frissonne à peine, la peau palpite sous la minidose préparatoire d'adrénaline (*faudra-t-il fuir?*), «Non, quoi ?», et on allume la télévision pour découvrir les images de la vie qui bifurque du chemin régulier, et devant toute cette horreur, avec notre compassion immense qui se met en branle, quelque chose en nous se sent plus vivant que jamais. Parce que d'autres que nous sont en danger, notre instinct se réanime. Pulsion de vie.

Il y a dans ces images, quelquefois, une grande beauté. Une beauté qu'on ne nomme jamais ainsi, par respect pour la douleur des autres, par pudeur, par crainte, mais une beauté noire, dure, une beauté maligne se manifeste. La nature reprend ses droits. La fragilité de la vie, de nos vies, est mise en lumière comme jamais. La toute-puissance des éléments plaque au sol les frêles constructions humaines. Le réel est viré à l'envers, et quelque chose en nous, entre la peur viscérale et l'instinct de survie, pulse, comme neuf. La catastrophe nous refait aimer la vie et les vivants d'un amour animal.

Je ne sais plus quand ça m'est venu. Cette impression-là que les catastrophes font partie des derniers remparts derrière lesquels on se retrouve encore sans cynisme, sans calcul. Qu'elles sont les ultimes lieux de rassemblement qui nous restent. Que devant elles, on s'unit, on communie peut-être, dans l'adversité, c'est vrai, mais tout de même. Qu'elles nous remettent ensemble, le temps de l'onde de choc.

Il n'y a pas de poésie dans les cataclysmes, aucune, il n'y a pas de poésie dans la dévastation ni dans l'effroi, jamais. Mais à mon sens, il y a un écho poétique qui advient dans le sillage des catastrophes : elles nous reconnectent à ce qu'il y a de plus humain en nous, et nous recréons spontanément les liens perdus, les liens enfouis. Nous nous remettons à faire confiance à ce que nous sentons. Nous nous permettons de nous sentir concernés par le malheur des autres, alors que le reste du temps, nous fuyons dès que la compassion tente une percée trop prenante dans nos consciences.

Comme si soudain, nous nous redonnions la permission d'être submergés par quelque chose de plus grand que nous. La nature implacable. La mort tragique. La grandeur de la résilience humaine. La beauté de nos vies, des nôtres, de ces liens qui pourraient nous être arrachés n'importe quand.

Comme si tout à coup, on pouvait arrêter de se méfier les uns des autres et de ce qui vit en nous, arrêter de se garder une petite gêne, de ne penser qu'à soi, pour partager sans arrière-pensée : là douleur, les couvertures, l'argent, les prières, de la soupe, du thé chaud, un lit, un foulard. Une chanson. Une *shot* de gin. Quelque chose pour être ensemble devant ce que nous avons perdu, et avec ce qui est toujours là, vivant.

Au tarot, quand on tire selon la méthode de la croix celtique, l'avant-dernière carte représente la peur et le désir. La réponse est la même. Peur et désir, un seul visage sur la même carte. On appelle ça le vertige.

Parfois je me demande si quelque chose en nous n'appelle pas la tempête, le tumulte, le grand ménage. Parfois je me demande si on ne cherche pas tous le mur, pour qu'une sorte de chute nous stoppe enfin, et qu'on puisse recommencer à inventer ensemble quelque chose de nouveau. Pour qu'on puisse s'y jeter à corps perdu, s'engouffrer par cette brèche dans les solitudes qu'opèrent l'accidentel, la fatalité, l'*act of God*. Dans cette gratitude d'être vivant. Dans cette proximité enfin permise.

Et si la catastrophe n'est pas la poésie, la poésie peut être une forme salvatrice de catastrophe, quand elle nous tombe dessus sans prévenir, nous extirpant de nos réflexes de zombies, de nos habitudes de morts-vivants. Ou mieux encore : la poésie, malgré tous nos efforts de contrôle pour tranquilliser nos existences, pour domestiquer nos élans, malgré ça, malgré soi, la poésie peut toujours surgir, libre, inaliénable, déstabilisante. Comme le contraire d'une catastrophe.

Compter les lucioles

Questions à Catherine Dorion, auteure, artiste, militante

Si vous aviez à proposer une définition de la poésie, à la lumière de votre action militante et artistique, quelle serait-elle ?

Je pense que la poésie ne se situe pas davantage dans l'action militante ou dans l'art qu'ailleurs. Elle est partout, omniprésente, elle est ce qu'on a souvent, à travers les âges, appelé le divin, ou dieu. Elle est ce qui s'adresse à cette longue racine qui se rend jusqu'au plus mou/mouvant/vivant de nous, là où rien n'a pu, au fil d'une vie, être immobilisé ou mobilisé par l'éducation et la propagande. Jusqu'à cette boussole essentielle que nous avons laissé enfouir. Creux.

Selon vous, comment la poésie peut-elle enrichir l'espace public ? Comment peut-elle participer à construire et à habiter ce que vous appelez le lieu collectif ?

C'est une sorte de militantisme individuel qu'il nous faut. Un militantisme qui, comme tous les militantismes, repose dans une foi. Foi dans le fait que la poésie appelle la poésie. Que si je m'abandonne à cette dernière et que je pose des gestes poétiques, je peux percer les couches de superficiel chez d'autres et leur faire cadeau de mouvance au fond d'eux. Que ces gens redégageront forcément cette poésie vers d'autres, et ainsi de suite.

Cela peut aussi se faire à travers les tribunes lorsque nous avons la chance et l'immense responsabilité d'en avoir une : art, politique, enseignement, etc. Prendre ce qui est à notre service personnel (notre *job*, notre cote d'influence, etc.) et le redéployer au service du poétique en chacun de nous. Tenter humblement de toucher la matière vivante des gens, leur instinct, leur soif de beauté, de vérité. Décomplexer ceux qui ont peur de la poésie, peur de cette partie d'eux qui, au tréfonds de leur personnalité, réagit encore fondamentalement par elle-même.

Cela demande du courage et une certaine désinvolture devant le jugement des asséchés, qui sont malheureusement souvent en position de distribuer ou d'enlever les micros. Parfois, il faut jouer avec eux comme aux échecs. Parfois on perd la *game* et on accepte de faire le bon élève, on accepte de transmettre du vide, participant par là à happer l'attention du monde pour l'emmener loin de la poésie.

Croyez-vous que la poésie puisse jouer un rôle dans la réappropriation du politique par les citoyens?

Elle est notre seule arme! La poésie, lorsqu'elle frappe, est dangereusement contagieuse. Elle est *le* liant qui unit les gens et fait naitre leur force, contre laquelle les profiteurs/manipulateurs de masse ne peuvent rien. Ces derniers ne le savent pas, ils pensent que la poésie est simplement une forme ronflante et incompréhensible d'art. Mais l'animal en eux le sent. Il panique dès qu'il s'aperçoit que cette chose qu'il ne possède pas rend la masse grondante et plus forte que lui et ses réseaux. C'est pour ça que tout l'*establishment* québécois a paniqué pendant le Printemps érable, de l'élite politique et financière aux Martineau et consorts du Québec (qui dépendent des premiers et ont été hissés là par eux, comme tant d'intellectuels, d'artistes et de journalistes au temps de l'URSS). Gabriel Nadeau-Dubois, dans *Tenir tête*, décrit exceptionnellement bien les manifestations éhontées de cette peur animale lors des explosions de poésie du Printemps érable, lorsqu'enfin on ne savait plus ce qui allait arriver au prochain tournant, lorsqu'enfin l'horizon se dégageait, lorsqu'enfin tout était possible.

Que peut la poésie contre l'opinion? Contre l'appauvrissement du langage, de la pensée?

La poésie se fout des mots qui meurent de leur surutilisation; elle crée instantanément d'autres symboles. Elle ne se situe d'ailleurs pas dans les mots, mais dans la relation entre ce qu'ils évoquent et ceux qui sont touchés par cette évocation. Le vol de nos mots par les médias, les publicistes et les politiciens me fait grandement chier, parce que je suis attachée à certains mots qu'ils vandalisent sans scrupules. Mais je reste très optimiste par rapport aux capacités de l'humain à inventer toujours des symboles neufs (les mots en sont) pour faire voyager la poésie entre ses congénères et lui.

La poésie en soi n'est pas militante. Elle est l'antithèse de ce jugement entre le bien et le mal prisé par les militants. Je disais qu'elle est notre seule arme, mais en fait, c'est nous qui sommes son arme. Il faut simplement s'abandonner à elle, participer humblement à son gonflement et la laisser réchauffer toute la vie. Mais ça, dans des cultures obsédées par le contrôle et le volontarisme, ça n'arrive pas souvent.

Avez-vous en tête une expérience poétique forte où une beauté imprévisible a jailli et opéré, chez vous-même ou chez quelqu'un d'autre?

À 18 ans, il suffit d'une drogue nouvelle, d'un amant nouveau, d'un pays nouveau pour nous mettre en état d'ouverture; inévitablement, à un certain moment, la plénitude poétique nous tombe dessus. Mais en vieillissant, l'étonnement se fait plus snob. J'ai donc cherché à m'étirer, à m'ouvrir à tout ce par quoi pourrait passer la poésie. Et comme je ne sais jamais par où elle se présentera, je m'entraine à lui être disponible. C'est quelque part dans la lenteur que ça se situe. Cent-mille piasses là-dessus.

J'ai vécu ma première expérience consciente de lenteur au Conservatoire, grâce à Paule Savard. Elle me triturait depuis une heure: «Fais ci, fais ça, non, pas ça.» J'étais perdue. Puis, par hasard, un nouveau mot d'elle m'a pénétrée: «Prends le temps, Catherine.» J'ai arrêté de passer nerveusement d'une action à l'autre, d'un mot à l'autre. Je me suis arrêtée entre deux phrases sans rester accrochée à ce qui s'en venait. Je me suis installée dans le présent. Et la chaleur m'est arrivée. La beauté, dans mon corps, dans ma poitrine, dans le plaisir d'être là à m'abandonner à une extrême et paisible maitrise de la scène, comme si autour de moi tout était vide, des champs et des océans à 360 degrés autour de moi, la vastitude, l'absence de jugement du bien et du mal ou de ce qu'il fallait faire et ne pas faire. Sans presse, sans désir de plaire, jouant avec le présent, richement. Dansant avec la poésie, dans sa vaste et bienfaisante certitude. État de grâce, comme ils disent.

Une autre fois, pendant mes études à Londres, je suis allée marcher au vieux cimetière à côté de chez moi. J'ai regardé les prénoms des morts, les arrangements floraux, les sculptures. Je me sentais seule au monde, j'avais un trou dans la poitrine. J'ai remarqué qu'une tonne de petits oiseaux chantaient dans un arbre, ils faisaient un vacarme. J'ai écouté leur chant et l'extrême beauté du timbre m'est rentrée dedans, paf, je me suis mise à pleurer et à littéralement *jouir* de ce son merveilleux, comme si un mage lui avait jeté un sort bienveillant afin qu'il caresse l'âme de ceux qui auraient des oreilles. Mon âme est restée ouverte pour une heure au moins. Une vieille dame est passée, m'a parlé; je ne sais plus ce qu'elle m'a raconté, mais elle était splendide elle aussi, sa voix était bonne à entendre, je l'aimais. Je venais de recevoir un gros repas de poésie, j'étais comblée, toute pesanteur s'en était allée.

Quand on était enfants, on nous disait en catéchèse: « Dieu est partout. Il est dans ton cœur. Dieu *est* amour.» J'aime imaginer que toute cette histoire de dieu n'est en fait rien d'autre que l'amour vivant, actif, extrêmement bon à vivre qui nous prend lorsque nous nous ouvrons à la poésie. Dieu comme un petit bonhomme dans le ciel qui nous juge, c'est poche. Non, il n'y a pas de dieu; *dieu* n'est qu'un mot pour dire cet amour poétique englobant, omniprésent et disponible, parfait: *ça*. Toutes les religions et tous les *trips* «spirituels» ont tenté d'écrire des histoires différentes autour de ce même besoin de nourriture poétique sans lequel l'être humain dépérit inexorablement. Dans nos sociétés de masse, nous sommes particulièrement affamés. On nous fait miroiter la poésie partout, à gauche, à droite, à la télé, et tous s'y *pitchent* de faim. Quand nous approchons, nous nous rendons compte que c'était encore du toc, que notre nouveau divan ou notre voyage-vacances ou l'élévation de notre statut social ne nous ont pas nourris, qu'il faudra chercher ailleurs le rassasiement. Et, cyniques, nous nous fermons finalement aux appels à la poésie parce que nous avons été trompés trop souvent. Je déteste ceux qui nous trompent comme ça. J'aimerais tellement que la poésie les renverse, les jette à terre. C'est ça, la révolution.

Réenchanter le monde

1. Au-dedans

On nous a dit qu'il faudrait être forts. Que dans ce monde féroce, dans cette ère compétitive et libérale, il n'y en aurait pas pour tout le monde, qu'il nous faudrait nous tailler une place nous-mêmes, la meilleure possible, puisque personne ne le ferait pour nous, puisque les plus faibles seraient laissés derrière sans remords. On nous a bien fait comprendre qu'au jeu du premier arrivé, premier servi, il n'y aurait d'exception faite pour personne, et que nous serions les seuls responsables de notre malheur comme de notre bonheur. On nous a clairement indiqué que le meilleur serait pour les durs, que les doux parmi nous se feraient dévorer. Nous avons tenté de résister, mais tout nous scandait de nous rendre à l'évidence, de cotiser à nos REER, d'arrêter d'être curieux, de ne surtout pas remettre en cause les prédictions des spécialistes, de cesser de faire du tapage, de penser moins, si possible, de penser plus bas, plus comme tout le monde, question de faire rouler cette économie dont nous craignons tant qu'elle se mette à faire autre chose que de nous passer sur le corps jour après jour.

C'est là, mis face à tous ces épouvantails (récession, déficit, crise, crash, appauvrissement, retraite impossible, mise en échec économique), que nous avons commencé à faire taire ce qui, en nous, refusait en tremblant. Ce qui, en nous, voyait dans cet individualisme forcené une forme particulièrement insidieuse de violence. C'est là que nous nous sommes mis à désavouer nos propres réflexes, vigoureux mais soudainement devenus suspects. C'est là que nous avons appris à rentrer dans le rang et à obéir à cette machination du plus fort, à cette prospérité obligée, à cette austérité de retranchés.

La poésie est une lueur fragile. On nous a appris à réfuter notre propre vulnérabilité, à la considérer comme une tare, un handicap, alors même qu'elle est le plus sûr moyen dont nous disposons pour ne pas nous égarer. Puisque cette route est la nôtre, continuons à marcher, mais rappelons la poésie. Elle est toute proche. Ramenons-la dans nos vies. Rameutons nos instincts, rameutons-nous.

Dans ces temps où nous allons, désorientés et incertains, cherchant partout hors de nous un indice, une trace du chemin à prendre, je suis sure, je suis certaine que de nous remettre à écouter ce qui frémit au-dedans, frêle mais scintillant, sensible mais irréductible, est la meilleure façon de retrouver notre Nord perdu, rempli d'espace, de silence, et de temps. Paysage neuf à dévaler en liberté, en courant de toutes nos forces, revisités enfin par cette force brute qu'on assimile à tort à l'idée du bonheur à tout prix : la joie, ce cadeau offert sans avertissement aux braves et aux casse-cous, ce tribut à la beauté de notre court passage sur terre, cette bénédiction.

2. Les îles

C'était en novembre, il y a un an ou deux. L'homme m'a demandé si j'avais de la monnaie, parce qu'il voulait dormir à l'auberge de jeunesse. Je n'en avais pas, mais j'avais un livre dans mon sac. Je le lui ai donné, en me sentant un peu *cheap*, en me disant que peut-être il n'en aurait rien à foutre, mais il était tellement content que j'ai eu l'impression que ça allait un peu moins mal, tout à coup. Il m'a prise dans ses bras. La nuit a reculé. (La poésie ici n'est pas dans le livre donné. Elle est dans l'homme qui prend la passante dans ses bras.)

Il n'y a pas de mode d'emploi, et rien de ce qu'on peut accomplir ou risquer ne survit très bien au récit qu'on en ferait par la suite. Rendre le monde plus hospitalier résiste mal à nos tentatives d'en garder la trace, parce que la beauté du geste se loge dans sa gratuité, et que l'effet se froisse dès qu'on a l'air de vouloir en prendre trop le crédit... C'est dommage (on aurait tant envie d'inspiration!), mais ça fait partie du jeu. Cet espèce de «donnez-au-suivant» hors d'ondes, ces microactions désintéressées, ces baumes distribués autour de soi sans attente de réciprocité nous affranchissent de toutes sortes de préjugés. Comme la vie devient légère, quand on brave notre peur d'être quétaine, trop aimant ou trop tendre.

Et puis il y a les manœuvres groupées. Je ne saurais pas en dresser une liste exhaustive. Mais elles existent (comme les baleines, comme l'amour). Ces bulles. Ces cosmos fugitifs. Ces plages inventées. Ces ilots de poésie dans la ville, dans le pays. Ces microclimats qui nous tirent hors de nos terrains connus. On marche, on vaque, et soudain, sans que l'on comprenne trop pourquoi, l'air est plus doux. Quelque chose comme une idée nouvelle nous souffle dans le cou : et si on levait les yeux les uns vers les autres? Si on avait ce cran? Cette audace folle? Faire comme si les autres *étaient là?* Prendre acte que nous occupons le monde *ensemble, en même temps?* Et si nous tentions de le faire avec plus de grâce — et même, pourquoi pas, de bienveillance?

Il y a des saillies d'urbanisme tactique, léger et vif, réactif et bon marché, révélant les multiples possibles de lieux laissés pour morts. À Montréal, sur la friche entre la rue Notre-Dame et les voies ferrées du port, l'Association des designers urbains du Québec a planté cet été les piquets colorés du Village éphémère, une place publique saisonnière, avec une programmation musicale et de quoi boire et manger à l'ombre du pont Jacques-Cartier, occupant ainsi une esplanade bétonnée servant de dépôt à neige l'hiver et laissée vacante le reste du temps.

Il y a l'art prenant la rue d'assaut. Fin mai, début juin, à Québec, pour quelques soirs hors du temps, la Basse-Ville est envahie par le parcours déambulatoire théâtral *Où tu vas quand tu dors en marchant...?*, une production du Carrefour international de théâtre de Québec, qui en était à sa sixième édition en 2014. C'est une fresque urbaine éphémère, sorte de rêve éveillé imaginé par des créateurs à qui on laisse carte blanche pour occuper différemment des lieux oubliés ou négligés et, ainsi, en révéler la beauté cachée. Pour y avoir pris part en tant que conceptrice lors de la production initiale en 2009-2010, puis en tant qu'interprète lors des moutures suivantes, j'ai pu mesurer sur le terrain l'enthousiasme de la foule se mouvant en longs rubans souples dans les rues de la ville transfigurée, comme neuve, réinventée dans l'œil du public ravi du voyage.

Il y a l'agriculture urbaine et ses multiples déclinaisons. Il suffit de passer un moment dans un des nombreux jardins communautaires du Québec, où s'affairent en chœur les jardiniers aguerris ou débutants, pour instantanément reprendre confiance dans le genre humain. Au milieu des plants de courgettes et de tomates, à genoux en train de désherber ou récoltant doucement de jeunes laitues, n'importe qui vous dira comme le miracle des choses qui poussent est universel, combien prendre soin d'un bout de potager redonne une sorte de foi, de joie insubmersible. À ces oasis organisées s'ajoutent les jardins rebelles, par lesquels chaque parcelle d'espace inoccupé peut devenir un lieu de culture improvisé. Dans Rosemont—La Petite-Patrie, à Montréal, Le jardinet des malaimés occupe une saillie de trottoir au coin des rues Drolet et Beaubien, et la menthe, l'aneth, le chou-rave, les poivrons croissent en son sein, dans un exemple particulièrement poétique de désobéissance civile rendant la ville plus hospitalière. Les ruelles vertes, les jardins de trottoirs, les ruches en milieu urbain participent également à cette appropriation horticole de l'espace public, une variante particulièrement belle, et pleine de sens, de ce que la pensée poétique peut accomplir de concret.

Il y a les initiatives citoyennes joueuses ou festives : le *Restaurant Day*, un carnaval culinaire tenu quatre journées par année dans plus de 200 villes dans le monde (dont Montréal), au cours duquel n'importe qui peut tenir un petit restaurant éphémère, n'importe où, dans les cours, les parcs ou les ruelles, le temps de partager la table, les couverts, et ses meilleures recettes; les fêtes de voisins, pour partir à la rencontre des habitants de la rue, du quartier; il y a des artistes comme Patsy Van Roost, qui fait du Mile End son terrain de jeu, inventant pour ses concitoyens des œuvres participatives sous les couleurs desquelles le quartier s'anime, s'humanise, se met à raconter quelque chose; il y a l'homme qui offre des lilas sur le trottoir devant chez lui; il y a de petites bibliothèques couvertes où échanger des livres gratuitement, apparues dans les nombreux escaliers entre la Haute et la Basse-Ville de Québec.

Il y a mille petites lumières qui brillent dans le brouillard néolibéral qui nous assaille de partout. Il suffit de bien regarder pour les voir protester en clignotant.

Si, collectivement, nous sommes capables de penser nos villes autrement, il devrait en être ainsi à d'autres échelles. Nous devrions nous donner le droit et le devoir de penser nos *vies* autrement. Cesser d'acquiescer sans mot, sans une réflexion devant ce qu'on nous suggère si lourdement : *travailler, consommer, accumuler de l'argent, mourir*. Cesser de tenir pour acquis que nous n'avons pas le temps ou les moyens de vivre mieux, plus doucement, plus généreusement, avec plus de bonheur, partagé par plus de gens. Prendre notre ennui, nos épreuves, notre pudeur, nos déceptions, et plutôt que de les creuser, les retourner comme des gants : en faire des nuées de lucioles. Tout le monde peut le faire. Partout. Dès maintenant. Il suffit de penser à côté.

Il suffit de désobéir.

3. Une sorte de magie

Du plus loin que je me rappelle, j'ai appelé la poésie. Avant les mots. Avant la lumière de la lecture. J'en avais besoin sans connaitre son nom.

Quand j'étais toute petite, il me semble que j'attendais tout le temps.

J'attendais qu'une sorte de magie se manifeste par moi.

J'attendais qu'une histoire incroyable m'arrive enfin pour que je puisse la raconter.

J'attendais quelqu'un.

Maintenant je m'éloigne des rivages de l'enfance, en tentant tout de même de les garder toujours quelque part dans mon champ de vision. J'essaie d'attendre moins, et j'écris, entre autres, pour me donner du courage.

J'écris pour dire que nous aurons tout à inventer pour que la vie reste vivable ici, pour que nos existences demeurent habitables, et pour dire aussi qu'heureusement, inventer est l'une des activités humaines les plus joyeuses qui soient.

J'invente tous les jours, pour résister à quelque chose qui pousse sur nos têtes de tout son poids de peur, de tout son poids de mort, et cette chose est comme une machine devenue folle, qui pèse sans répit sur nous, sur nos pensées, pour que nos esprits se calment et se ploient et arrêtent de poser des questions, de chercher la beauté, de croire que la poésie nous aide à vivre ensemble plus puissamment.

J'invente contre cette chose et pour la poésie.

J'invente tous les jours du sens et des liens.

Je sais que je ne suis pas la seule. Je sais que je ne suis plus toute seule. Et cette pensée (*luciole dans ma tête*), aussi frêle, aussi fragile soit-elle, me donne une ardeur inextinguible.

À propos de l'auteure

Véronique Côté est comédienne, metteure en scène et auteure. Elle a joué dans plus d'une vingtaine de productions théâtrales sur les scènes du Québec et de l'Europe, dont *Forêts* (dans la trilogie *Le sang des promesses*) de Wajdi Mouawad. Fidèle collaboratrice d'Anne-Marie Olivier, elle a entre autres signé la mise en scène des spectacles *Faire l'amour* et *Scalpée*. Avec *Tout ce qui tombe*, son premier texte pour le théâtre, elle a été finaliste pour les Prix littéraires du Gouverneur général en 2013. Elle habite Québec, mais elle est vraiment souvent à Montréal. Elle n'a toujours pas de voiture, mais elle ne vous juge pas si vous en possédez une — d'ailleurs, vous pourriez peut-être lui faire un *lift*.

Remerciements

L'auteure tient à exprimer sa gratitude à Isabelle Morissette, Martine B. Côté, Karine Lapierre, Catherine-Amélie Côté, Frédéric Blanchette, Nicolas Langelier, Judith Oliver, Caroline R. Paquette, Cécile El Mehdi, Catherine Dorion, Hugo Latulippe, Serge Bouchard et Daniel Weinstock. Merci pour vos lumières et votre bienveillance.

Documents

La juste part
Repenser les inégalités, la richesse et la fabrication des grille-pains
David Robichaud et Patrick Turmel, 2012

01

Année rouge
Notes en vue d'un récit personnel de la contestation sociale au Québec en 2012
Nicolas Langelier, 2012

02

Le sel de la terre
Confessions d'un enfant de la classe moyenne
Samuel Archibald, 2013

03

Les tranchées
Maternité, ambigüité et féminisme, en fragments
Fanny Britt, 2013

04

Constituer le Québec
Pistes de solution pour une véritable démocratie
Roméo Bouchard, 2014

05

La vie habitable
Poésie en tant que combustible et désobéissances nécessaires
Véronique Côté, 2014

06

Achevé d'imprimer par Deschamps Imprimeur,
à Québec, en juillet 2018.

Ce livre a été imprimé sur du papier Enviro100,
contenant 100 % de fibres postconsommation,
fabriqué au Québec par Rolland à partir d'énergie biogaz
et certifié FSC Sources mixtes et ÉcoLogo.